讓孩子大開眼界的
知識童話・動物篇

哭泣的鱷魚

滕毓旭　著

新雅文化事業有限公司
www.sunya.com.hk

讓孩子大開眼界的
知識童話

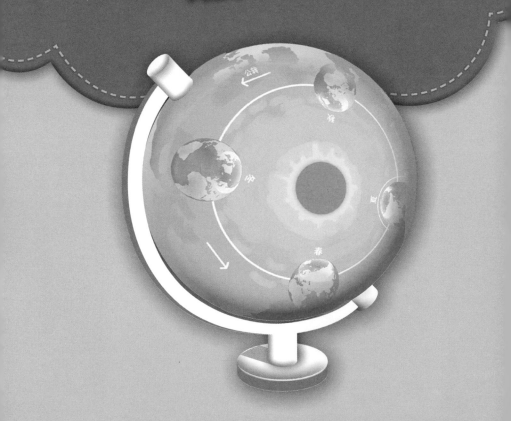

內容簡介

一隻老鼠想過河，卻爬進了大象的鼻子裏；狐狸哀求老虎把自己吃掉，老虎竟嚇得趕緊跑開；鱷魚一邊流眼淚，一邊卻說自己沒有哭；羚羊媽媽很愛孩子，竟差點害了孩子……

你看，這個動物世界是不是很怪呀？是怪，怪得十分離奇！

當你打開《哭泣的鱷魚》，看到這些奇怪的動物時，一定會吃驚得目瞪口呆！

這是一本融文學性、知識性、趣味性於一體的知識童話。書中 34 篇故事，介紹了 34 種動物的特點、習性。讀完這本書，不僅會讓你成為動物小博士，還會讓你從有趣的童話中，獲得美的享受。

目錄

穿山甲的早餐

閱讀提示

穿山甲怎樣吃東西？

穿山甲的運氣真不好，忙碌了一夜，肚子還是空空的。平時這個時候，他早就鑽進洞裏睡覺了，可現在，他不得不出去找吃的。

太陽暖暖的，空氣也很清爽，穿山甲披着盔甲，神氣得像一個武士。他一邊走，一邊瞪着黑溜溜的小眼睛四處尋找。

迎面走來了熊大嬸，她一看見穿山甲，就高興地喊：「哎呀，我終於找到你了，這些日子你跑哪兒去了？」

穿山甲問：「找我有什麼事嗎？」

熊大嬸哭喪着臉說：「我的樹洞裏鑽進了白蟻，再不消滅他們，我就沒家了。」她知道穿山甲對付白蟻很有辦法，便央求說：「快幫幫我吧！」

穿山甲最愛吃白蟻，他正為找不到蟻穴發愁，聽熊大嬸一說，高興地說：「好，好，快帶我去！」

熊大嬸住在千年老松樹的樹洞裏。老松樹被白蟻吃得快只剩空殼了，樹身被吃出許多小窟窿。

穿山甲用尖鼻子嗅了嗅，飛快地爬到樹洞邊，伸出又細又長的舌頭。

熊大嬸不解地問：「讓你來消滅白蟻，你為什麼伸舌頭？」

穿山甲沒有說話，卻靈活地把舌頭伸進洞裏，開始一進一出地拉動。

熊大嬸並不知道穿山甲沒有牙齒，吃白蟻時全靠用舌頭去舔。她站在一旁看得兩眼發直。

這時，穿山甲的半個身子已經鑽進樹洞裏，而那條又扁又長的尾巴卻在洞外不停擺動。一些白蟻從洞裏倉皇飛出來，紛紛落到樹幹上。突然，穿山甲把身子往後一退，尾巴用力一甩，哇，整個身子一下倒掛在樹上，靈活得就像小猴翻筋斗。

這回熊大嬸看清楚了，穿山甲的舌頭就像一條彈簧，一伸一縮，準確地把白蟻黏住。一會兒工夫，洞裏和樹上的白蟻全被他舔進肚子裏了。

穿山甲快活地說：「哈，這頓早餐真香呀！」

熊大嬸站在一旁，愣得張大嘴巴，半天才說出一句：「穿山甲，你的本事真大，一會兒工夫把數千隻白蟻全消滅了。你保護了我的房子，我不知怎樣謝你才好。」

穿山甲嘿嘿地笑了：「你讓我美美吃上一頓早餐，我也要謝你呀！」說完，他尾巴一甩，鑽進土裏不見了。

穿山甲的自述

我是哺乳動物，我全身披着鱗甲，因此有些人會叫我「盔甲大將軍」。別看我四肢粗短，尾巴又扁又平，嘴裏沒有牙齒，我卻是響當當的挖洞高手，否則人們為什麼會叫我穿山甲？

知識小百科

1. 穿山甲怎樣吃螞蟻？

穿山甲的舌頭，能伸能縮，帶有黏性唾液，喜歡吃螞蟻和白蟻，也吃昆蟲的幼蟲。牠的嗅覺十分靈敏，能準確嗅出蟻洞位置，並用強健的前肢爪掘開蟻洞，將鼻吻深入洞裏，然後用細長的舌頭舐食螞蟻。

2. 為什麼說穿山甲是益獸？

穿山甲的食量很大，一隻成年穿山甲，一次可吃 1 斤白蟻。據科學家觀察，在 250 畝林地中，只要有一隻成年穿山甲，白蟻就不會對森林造成危害。穿山甲在保護森林、堤壩，維護生態平衡等方面都起到很大的作用。

3. 穿山甲住在什麼地方？

穿山甲在山麓、丘陵或灌木叢生的地方挖洞。牠夏天住的洞建在通風涼爽、地勢較高的山坡上；冬天住的洞，築在背風向陽、地勢較低的地方。

穿山甲有愛清潔的習性，每次大便前，牠先在洞外附近挖一個深坑，然後將糞便排入坑中，再用鬆土覆蓋。

灰眼兔紅眼兔

> 小灰兔的眼睛是灰色的，那麼小白兔的眼睛是什麼顏色的呢？

　　一隻小灰兔，眼睛是灰的，大家都叫他灰眼兔。這天，他出去玩耍，碰見了小白兔。他說：「我們做朋友好嗎？」

　　小白兔點點頭。

　　灰眼兔說：「我叫灰眼兔，你叫什麼名字？」

　　小白兔說：「我叫紅眼兔。」

　　灰眼兔這才發現紅眼兔的眼睛是紅的，他很奇怪，便問：「媽媽說，小兔眼睛和身上毛的顏色一樣。你是白兔，眼睛為什麼會是紅的？」紅眼兔從未想過這個問題，看看灰眼兔，他身上的毛和眼睛都是灰色的，紅眼兔也覺得奇怪。

　　灰眼兔問：「你是不是愛哭，把眼睛哭紅了？」

　　紅眼兔說：「才不是呢！我爸爸媽媽、哥哥姐姐的眼睛都是紅色的。」

　　「要不，就是得了紅眼症。」灰眼兔又說。

　　紅眼兔說：「怎麼會呢？我生下來就是這樣呀！」

　　那是怎麼回事呢？他們兩個想了半天，也沒想明白。

　　這時，灰眼兔說：「我

11

家小主人的書房有許多書，我們去看看書上是怎樣說的。」

於是，他們趁小主人不在，跑進書房。他們一本一本地翻，一頁一頁地找，累得直眨眼睛。

突然，灰眼兔高興地喊道：「找到了！」他指着書上的一頁說：「你看，上面畫着許多小兔，有紅眼睛的，也有灰眼睛的。」

可是，他們不認識字，不知道上面寫的是什麼。

這時，小主人回來了，一見打開的書，高興地說：「我正要找小兔的知識，你們幫我翻出來了？」他拿起書，大聲念了起來：「小白兔體內缺少色素，身上的毛是白色的，眼睛是透明的，現在看到的眼睛現出紅色，是他眼球裏血液的顏色。」

哈哈，這不正是他們要找的答案嗎？紅眼兔樂得大聲說：「我沒病，我的眼睛是正常的呀！」他對灰眼兔說：「謝謝你幫我認識了自己。」

灰眼兔卻說：「要謝就要謝謝小主人呀！」

「可是，小主人的書，還是我們幫他找的呀！」

兩個好朋友高興地抱在一起。

小兔的自述

我的後腿長，前腿短，跑得很快。我的長耳朵很靈，百米以外有什麼動靜，都可以聽到。我的尾巴很短，跑起路來沒有累贅。要是每頓飯有鮮草、青菜、蘿蔔吃，我就知足了。至於我的嘴巴為什麼是三瓣，哈哈，這可是個秘密。

知識小百科

1. 為什麼兔子很少喝水？

　　兔子只有在非常渴時，才喝一點點水。因為牠吃的食物（如谷類、樹葉、蔬菜、鮮草等）中含有大量的水分，可以滿足身體需要。兔子的消化器官很脆弱，胃腸裏的水一多，就會拉肚子甚至死掉。

2. 兔子耳朵為什麼特別長？

　　兔子經常受到許多動物的威脅而又無能力反擊，惟一的辦法就是逃跑，所以牠要經常豎起耳朵，注意收聽四面八方的動靜，這樣，牠的耳朵自然就長得特別長。

3. 捉兔子時，為什麼不能扯牠耳朵、倒提牠的後腿？

　　兔子耳朵是由軟骨組成，有很多血管和神經，是身上最嬌嫩的地方，很容易受傷。如果倒提兔子後腿，會使牠的血液循環發生障礙，導致腦充血而死亡。

冬眠的熊

閱讀提示

> 冬天快到了，熊還在拚命地吃呀吃，牠為什麼這麼貪吃呢？

秋風吹熟了樹上的果子。熊爬上樹把果子搖落一地，坐在樹下大口大口吃了起來。

獾正往家裏搬運糧食過冬，他對熊說：「熊大哥，別只顧貪吃，快準備過冬的糧食吧！」

「我這不是正準備着嗎？」熊說着，又大口大口吃了起來。

獾說：「吃一頓飽飯怎能一個冬天不挨餓呀？還是多儲點糧食吧！」誰知，熊卻說：「我吃完這頓飽飯，就可以不吃不喝地過一個冬天呀！」不聽好人勸，吃虧在眼前。獾不想再說什麼。

熊看出獾不高興，認真地說：「我說的是真話，到了冬天，我就要冬眠，這肚裏的食物足夠我一個冬天用。」獾聽他這樣說，不再說話了。

北風吹了，吹得樹葉滿天飄。熊覺得身上血液流得慢了，瞌睡蟲也直往眼皮裏鑽。他趕緊晃動胖胖的身子去尋找樹洞，這時，迎面又碰上了獾。

「熊大哥，你不是說要冬眠嗎？怎麼還在這裏晃蕩？」

熊說：「我正在找住處吶，可是找了半天，也沒找到合適的屋子。」

獾眨眨眼睛，忽

然想起自己去年住過的樹洞，便說：「我知道一個樹洞，現在還空着。」說着，便帶熊向那裏走去。

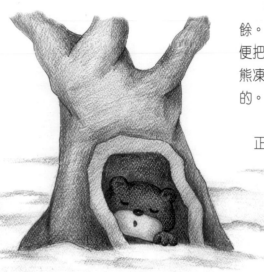

樹洞很大，熊鑽進去寬綽有餘。他對獐說了一聲「謝謝」，便把四腿一蜷，呼呼睡了。獐怕熊凍着，用乾草把洞口堵得嚴嚴的。

當外面飄起大雪，狐狸、狼正艱難地尋找食物時，熊卻在洞裏做着一個長長的夢。夢醒時，外面已經春暖花開了。

熊出洞第一眼看到的就是獐。他對獐說：「謝謝你天天來看我！」獐很奇怪：「你睡了，怎麼知道我來看你呀？」「其實，我是半睡半醒的！」熊說。

獐還想跟熊說點別的，熊卻說：「我一個多天沒吃東西，餓極了，先去填飽肚子，等會兒再聊，好嗎？」說完，他向春的原野走去。

熊的自述

我頭大，尾巴短，四肢短，趾上長帶鈎的爪子，靠它才能爬樹。我吃東西從不挑剔，植物、動物、蜂蜜全吃，不過，最喜歡吃活的動物。別看我長得肥胖而顯得笨頭笨腦，其實我很聰明、很靈活！經過訓練，我能跳舞、踩球、走鋼絲……

知識小百科

1. 遇到熊裝死就安全了嗎？

與熊突然相遇，一定不要亂動。你可以把隨身帶的東西慢慢放到地上，如果什麼也沒帶，可以脫下衣服放到地上，然後向後退，當退到熊看不見的地方，趕緊逃走。如果你大喊大叫，熊會向你撲來。熊雖然愛吃活的動物，但飢餓時也吃死的動物，所以裝死絕不是逃避傷害的好辦法！

2. 黑熊怎樣冬眠？

黑熊沒有固定巢穴，冬眠時常常在樹洞裏。冬眠的熊，不吃不喝，呼吸稍弱，體溫略下降。牠從 10 月下旬冬眠，至來年 3 月出洞，長達 5 個月，與當地的積雪時間相同，但在長江以南地區，黑熊冬眠時間較短或不冬眠。

3. 熊走路為什麼總是搖頭晃腦的？

這是因為熊長得太胖了。身體太重，走路邁左前腳時，前半身子就會歪向右邊；換腳時，身子又倒向另一邊，這樣，熊走起路來就搖頭晃腦了。

會魔術的象鼻子

閱讀提示

大象的鼻子有什麼作用？

　　小象璐璐是個魔術師。

　　這天，他應邀參加森林電視台「特別7+2」節目表演。主持人熊先生問：「你要給大家表演什麼節目？」

　　璐璐說：「我表演的是，鼻子7+2。」說着，他把長鼻子一豎，又一橫，變成了「7」，又向下一彎，變成「2」。

　　哈，好靈活的長鼻子！大家都使勁地為他鼓掌。

　　熊先生問璐璐：「表演完了嗎？」

　　璐璐得意地說：「精彩還在後面呢！不過，我需要請一位觀眾來配合我。」

　　小猴多多自告奮勇地站起來，還沒等走動，璐璐就把鼻子一伸，將他攔腰一捲，抱到台上。璐璐說：「現在我要變個噴頭！」說着，他把長鼻子伸進河裏，咕嚕嚕一吸，對準多多一噴，哈，白花花的水從鼻子裏噴出來，噴得多多吱吱地笑。

　　小犀牛也想洗個澡。璐璐卻說：「這回我要給你變個吸沙機。」他把鼻子一垂，吸得泥沙

直轉圈兒，然後一噴，泥沙飛到犀牛身上，把那些蚊蠅全都趕跑了。

其他小動物覺得有趣極了，都想試一試。於是，璐璐的長鼻子就像一個噴頭，一會兒給狐狸噴，一會兒給刺蝟噴，一會兒給小獾噴，白花花的水發出好聽的刷刷聲。大家都高興極了。

熊先生繼續介紹說：「璐璐的鼻子力氣大得驚人，能拔掉一棵樹，還能幫助人們搬運木材和貨物。你們知道嗎，他的鼻子上有兩萬多根神經呢！」

「真的？請問璐璐，你能撿起掉在地上的針嗎？」長頸鹿問。

璐璐笑了：「這還不是易如反掌的事！」

熊先生趕緊找來一根針，把它扔到地上。只見璐璐用鼻子輕輕地在地上搜索起來，一會兒工夫，他就用鼻子拿起了那根針。

「哇，太精彩了！」觀眾們都從座位上蹦起來，還把一束束鮮花送給了璐璐。

從此，大家編了一首兒歌讚揚長鼻子璐璐：「小璐璐，變魔術，鼻子能彎又能豎，會吸水，會揚沙，力氣大得能拔樹。」

大象的自述

我是陸地上最大的動物，生活在熱帶、亞熱帶森林、草原地帶，主要吃青草、樹葉、竹葉、野果等。我們有亞洲象和非洲象兩個家族，非洲象個子比亞洲象大。

知識小百科

1. 大象鼻子為什麼很靈敏？

　　大象的鼻子約 1.6 米長，120 公斤重，由 5 萬塊肌肉組成。這樣又長又重的鼻子，為什麼能拿起掉在地上的一根針？原來，大象的鼻子神經特別發達，不僅能吸氣、呼氣，還能嗅到各種氣味。順風時能嗅出 5 公里外猛獸的氣味，乾旱時能嗅出遠處哪兒有水，還能嘗出酸、甜、苦、辣各種不同味道。

2. 大象洗完澡，為什麼要往身上塗泥沙？

　　大象皮膚雖然很厚，但有許多皺褶，而皺褶之間的皮又薄又嫩，最怕蚊子、蒼蠅叮咬。大象洗完澡後，趁身上的水未乾，便往上面塗泥沙，這樣就形成一個保護層，能防止蚊蟲叮咬。

3. 大象死後，為什麼很少見到牠的屍體？

　　大象一般能活 60 ～ 70 歲。即將死去的大象，似乎預知自己即將死亡，便來到一個沒有人知道的地方，由「送葬」的同伴幫牠挖一個坑，然後自己跳進去，躺在坑裏悄然合上眼睛。同伴圍着坑不停地叫喚，一邊叫一邊往坑內填土。所以，大象死後，人們很難發現牠的屍體。

小松鼠咯咯

閱讀提示

松鼠有一條毛茸茸的大尾巴，你知道牠有什麼作用嗎？

　　小獾子背着紅薯去看舅舅，在路過一片松林時，聽到樹上一陣窸窸窣窣的聲音，抬頭一看，見一隻小松鼠正在樹上跑來跑去，急得大喊：「快下來，別摔着。」聽見喊聲，小松鼠停下來，一眼就認出是小獾子，小獾子也認出是小松鼠咯咯。他們前幾天還在一起玩捉迷藏遊戲。

　　小獾子關心地說：「你怎麼這樣淘氣呢？上樹多危險呀！」

　　咯咯滿不在乎地說：「放心吧，不會摔下來的，我正在採松果，準備過冬的糧食。」說着，咯咯把毛茸茸的大尾巴一甩，嚼的一聲跑到另一條樹枝上，摘下一顆松果扔到地上，然後，嗖的一聲往下跳。這下可把小獾子嚇傻了。從那麼高的樹上跳下來，不摔成肉餅才怪！誰知，小松鼠的尾巴在空中甩了幾甩，竟安安全全地跳下來，連半點皮毛也沒受傷。

　　小獾子驚呆了，嘖嘖地誇道：「想不到你的本事這樣大！」

　　咯咯很得意地

說：「這一切要感謝我的大尾巴。我在樹上跑時，它就是個平衡器，掉不下來；我從樹上跳下時，它又是個降落傘，托住我而摔不着；到了冬天，它就是一牀大棉被，蓋在身上暖呼呼的，凍不着。」

小獾子望着小松鼠的大尾巴，羨慕地說：「我要是有這條大尾巴該多好叫，我們就可以到樹上捉迷藏了！」

一提到捉迷藏，咯咯就來了興趣：「那我們玩一會兒吧！」

小獾子搖搖頭說：「下次玩吧，我要去看舅舅呢。」

小松鼠咯咯一聽，蹭的一聲爬到一棵白果樹上，摘下幾顆白果扔到地上，說：「給你舅舅帶去吧！」

小獾子很感動，剛想說聲「謝謝」，只見小松鼠的大尾巴飄到另一棵大松樹上去了。

松鼠的自述

我有時住在樹上，有時住在地上，有時住在洞裏。爪子像一個長鈎，抓住樹枝不會掉下來。你問我吃什麼？吃松子呀，不過，剛生下不久時，媽媽常餵我吃鳥蛋。要不，我怎麼會長得這樣快！

1. 松鼠會栽樹嗎？

在松果成熟的季節，松鼠就開始挖土掘洞，把採集到的松果儲藏在洞裏，留着冬天吃。松鼠的記性不好，常把埋松果的地方忘了，結果第二年春天，那兒就長出了小松樹。

2. 松鼠怎樣收藏蘑菇？

松鼠愛吃蘑菇。牠把採下的蘑菇搬上樹，掛在樹杈上曬乾，然後藏起來，留着慢慢吃。

3. 誰是松鼠的天敵？

松鼠的天敵有蒼鷹、貓頭鷹，但牠最難對付的敵人是貂。貂的視力好，會爬樹，松鼠只要被貂盯上，就很難逃掉。不過，松鼠也有辦法，牠逃到又高又細的樹梢上，貂怕掉下來，就不敢追了，但牠會在松鼠回洞的路上埋伏起來，將牠吃掉。

聰明的狐狸

閱讀提示

狐狸遇到了老虎，牠怎麼在虎口下脫險呢？

有一隻狐狸，名叫璐璐。她身上的毛是棕紅色的，身後拖着一條又粗又長的尾巴。璐璐去草原散步，突然遇到一隻老虎。她見自己逃不掉，便靈機一動，倒在地上大哭大叫起來：「哎喲，痛死我了！」

老虎幾天沒吃東西了，見到胖乎乎的璐璐，恨不得一口把她吞下去。誰知，璐璐卻苦苦哀求說：「虎大王，快把我吃掉吧，這樣可以填飽你的肚子，又可以不讓我受罪。」說完，她就在地上不停地翻滾起來。

老虎疑惑起來：「告訴我，你怎麼了？為什麼急着叫我吃掉你？」

璐璐恨恨地說：「都是該死的獵人，用一隻有毒的雞來騙我上當，也怨我太貪吃，把毒雞吃進肚裏。現在，毒性發作了，哎呀，痛死我了！」璐璐繼續掙扎着，還大口大口喘着粗氣。

老虎一聽，嚇得連退三步：「什麼？你吃了有毒的雞？」

璐璐見老虎將信將疑，便把肚子一收，一用勁，從尾巴根的小孔裏放一股刺鼻的臭氣。這是璐璐製造的一種臭屁彈，在危急時刻，她就用這種「臭屁彈」進

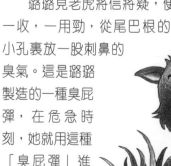

行自衛，大動物聞到後，會被熏得暈頭轉向。現在，老虎兩眼被熏得直流眼淚。

璐璐趁機說：「哎呀，這該死的毒雞，在我肚裏發臭了，往外直冒臭氣。虎大王，行行好，快吃了我吧！」

老虎嚇壞了，一邊跑開，一邊罵道：「你這個貪吃鬼，自己死了，還想再害我，我才不上你的當！」

璐璐見老虎跑走了，哭得更厲害，罵得更響了：「該死的老虎，你為什麼這麼狠心？為什麼不吃掉我，讓我受罪！」她心裏卻在暗暗發笑。

當璐璐認定老虎走遠時，才擦了一把冷汗，自語道：「好險！這隻蠢老虎，終於被我騙過了。」她不敢再逗留，急急地向另一個方向逃去。

狐狸的自述

有人罵我是偷雞賊，其實我最愛吃田鼠、黃鼠、倉鼠，偷雞是偶爾的事，因此我是益獸。為了生存，我走路時總豎起三角形的耳朵，聽聽周圍有什麼動靜，如果遇到危險，我就放臭屁彈熏跑敵人。

知識小百科

1. 為什麼說狐狸很狡猾？

狐狸的確很狡猾。每次走出洞口前，牠總先傾聽觀望，看看有沒有敵人；走在冰上，牠會把耳朵貼在冰上，聽有沒有異樣的聲音。如果遇到獵人開槍無法脫身時，狐狸便倒下裝死，身體變得很軟，連呼吸也停止了。獵人以為牠被打死，便放心地又去捕捉別的獵物，這時牠會趁機逃掉。

2. 狐狸怎樣捕食小兔？

狐狸遇見小兔時，會利用牠的好奇心，故意裝成一瘸一拐的，或者就地打滾，逗引小兔看熱鬧，當小兔快接近自己時，牠會突然撲上去將小兔咬死。

3. 狐狸為什麼畫伏夜出？

狐狸的兩隻眼睛有反光極強的特殊晶體，一到夜裏，牠就發亮。狐狸最愛吃的鼠類，都是夜裏活動，所以，牠便畫伏夜出。人們常見到荒山、曠野或墳墓附近，有一閃一閃的亮光，迷信的人以為那是鬼怪精靈，其實是幾隻狐狸在遊蕩，那亮光就是狐狸的眼睛。

小狗伸舌頭

閱讀提示

炎熱的夏天，狗為什麼總伸出長長的舌頭？

農場裏住着雞、鵝、鴨、貓、狗。他們十分要好，每天都在一起玩耍。

一天，農場小主人麗娜過生日，請了許多客人，宴會就在草坪上舉行。天很熱，人們都坐在遮陽傘下開心地吃着。雞、鵝、鴨、貓、狗不能近前，只好在草坪附近玩耍。

玩了一會兒，狗說：「太熱了，太熱了，你們玩吧！」說完自己跑到樹下，把嘴巴張得大大的，舌頭伸得長長的。

雞見了，對小伙伴說：「小主人過生日，把狗貪吃得連玩都不顧了。你看，他的舌頭伸得多長呀！」

鵝也覺得狗有點過分，說：「是呀，太不注重自己形象了，貪吃，也不能貪吃成這樣！」

貓聽了雞和鵝的話，上前制止說：「大家都是朋友，有話當面講，為什麼要在背地議論！」

雞和鵝聽了，不再說話。

貓走到狗跟前，問：「你為什麼不和大家一

起玩？是不是看見人們吃飯，你想吃了？」

小狗說：「怎麼會呢？天太熱，我實在受不了。」

貓說：「天氣熱？怎麼你身上一點汗也沒有？再說，你如果不是想吃東西，那麼伸舌頭幹什麼呢？」

雞和鵝也說：「你還不承認，從主人吃飯開始，你就一直伸着舌頭！」

小狗急了：「不是這樣的，不是這樣的，你們誤會了。」

貓問：「到底是怎麼回事呢？」

狗趕忙解釋說：「我身上沒有汗腺，不會出汗，只好伸出舌頭來散熱了！」

哇，原來是這樣呀！

雞和鵝低下頭，有些不好意思：「我們還以為你伸舌頭是因為想吃東西呢！」

一場誤會，因為當面解釋而消除了，這件事對大家教育很深。

狗的自述

我和牛、馬、羊、豬、雞一起被稱為六畜。我的耳朵很靈，歇息時，總把一隻耳朵貼在地上，能聽到很遠的聲音。我能替人看家，幫人狩獵，還能警衛、破案、救護、牧羊，甚至做寵物逗人開心。人類把我當作好朋友。

知識小百科

1. 狗的鼻子為什麼能幫助破案？

狗鼻子的黏膜有 2 億個嗅覺細胞，是人鼻子的 40 倍，靈敏程度是人的 100 萬倍，能嗅出 10 萬種以上的不同氣味。牠根據留在街上的汽車氣味，能知道什麼時候誰從哪兒來，又到哪兒去，即使過了一晝夜，只要現場不被破壞，警犬照樣能鑒別出來。有人試驗，人穿過的皮靴過了 3 個月，警犬還能嗅出誰是穿靴人。

2. 狗為什麼能認路？

狗的鼻子能嗅出自己尿的味道，所以，牠出門總是一邊走一邊在路旁撒一點尿，給自己做記號。狗不論走多遠，都可以嗅着自己的尿找到家。

3. 狗睡覺前為什麼總要在原地繞上幾圈？

狗的老祖先是野狗，牠們在野外生活時，是猛獸的捕食對象，睡覺前需要在原地繞上幾圈，看看有沒有危險，然後再趴下睡覺。狗被人馴養後，這種習慣一直保留着。

注意衞生的小浣熊

閱讀提示

小浣熊的「浣」字是什麼意思呢？

這是一個夏天的傍晚。小浣熊足足睡了一天覺，肚子餓得咕嚕嚕叫，他趕緊從樹上爬下來，準備去找吃的。剛下樹，他就碰見了小獾子。

小獾子才搬來不久，就住在樹下的地洞裏。他不認識小浣熊，見他胖胖的，拖着一條長長的大尾巴，眼睛周圍有一圈黑毛，像戴一副太陽鏡似的，覺得挺滑稽。

小浣熊好奇地問小獾子：「你是誰呀？我怎麼不認識你呢？」

「我剛搬來，就住在樹下的洞裏。」小獾子說。

「哈，原來我們是鄰居呀！」

小獾子很想和小浣熊聊聊，可小浣熊卻說：「我餓極了，等我吃點東西回來，再和你聊好嗎？」說完，他便急急地向河邊跑去，撲通一聲跳進河裏。

小浣熊可是個游泳健將，別看他四條腿很短，捕食卻靈活得賽過青蛙，小獾子看得愣住了。

突然，小浣熊一頭跳進水裏，不一會兒就捉住了一條活蹦亂跳的魚。

小獾子滿以為餓極了的小浣熊會嘴巴

一張，大口大口地吃起來。可是，只見小浣熊爬到岸上把魚摔死，轉身又回到河裏，像小孩玩水那樣把魚洗了又洗，這才開始津津有味地吃起來。吃了一半，小浣熊又跑進河裏把魚重洗一次，接着再吃。

小獾子奇怪地問：「魚剛從河裏捉上來，為什麼還要洗了又洗呢？」

小浣熊說：「這是我們浣熊家族的習慣，不論吃魚、蛙、小型陸生動物，還是吃野果，都要把食物放在水中洗一洗再吃。正因為這樣，人們才叫我們是『浣熊』。『浣』就是洗的意思呀！」

哈，想不到憨厚的小浣熊這樣愛乾淨！

小獾子因為有了這樣一個注意衛生的好鄰居，很是高興。他對小浣熊說：「就讓我們做好朋友吧！」小浣熊點點頭。

那天晚上，兩個好朋友坐在月光下，談得很高興呢！

浣熊的自述

我住在美洲的熱帶和溫帶地區，個子很小，身體只有半米長。我的樣子像小熊，因為我住在河邊、湖旁，常把食物放進水裏不斷地去洗，所以人們叫我「浣熊」。

知識小百科

1. 浣熊吃什麼？

　　浣熊白天大多在樹上休息，晚上出來活動。浣熊的食物很雜，吃魚、蛙等小動物，也吃漿果和堅果。浣熊經常用前爪捕食和吃食物。

2. 為什麼說浣熊是最愛乾淨的動物？

　　浣熊在吃食物之前，都要用前爪把食物放在水裏搓來搓去，洗一洗再吃。動物園裏飼養員給牠的食物，牠也要拿去洗洗再吃，真是太愛乾淨了。

3. 浣熊生活在哪裏？

　　浣熊有很多種，如鬈尾浣熊、蓬尾浣熊、長鼻浣熊、尖嘴浣熊、食蟹浣熊……浣熊喜歡棲息在靠近河流、湖泊或池塘的樹林中，是游泳健將。

鼬鼬的「臭屁彈」

黃鼠狼遇到敵人會怎麼樣呢？

這是盛夏的一個早晨，黃鼠狼鼬鼬正在草地上打滾，突然聽到哈哧哈哧的聲音，抬頭一看，大灰狼正朝他撲來。

大灰狼很兇，專門欺負弱小的動物。鼬鼬爬起來撒腿就跑，慌不擇路，竟被一塊大石崖擋住了逃路。大灰狼見了，得意地說：「看你還往哪裏跑，乖乖就擒吧！」誰知一轉眼，鼬鼬不見了。

「他到哪兒去了？」大灰狼望着只有一條細縫的石崖很疑惑，「莫非鑽進縫裏了？這怎麼可能呢？」一抬頭，見鼬鼬真的從石縫另一頭鑽出來。大灰狼萬萬沒想到鼬鼬會「縮骨」，可以鑽進看起來比他身子小得多的石縫。

大灰狼氣炸了肺，發誓要把鼬鼬捉住。他弓着腰又追了過來。

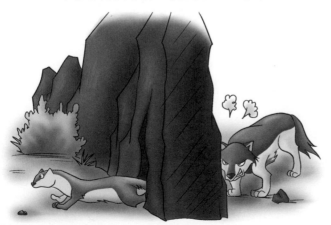

鼬鼬哪裏跑得過大灰狼，眼看又要被追上了，眼前是平平的田野，再沒有石縫可鑽了。鼬鼬乾脆不跑了，站在那兒一動不動。

大灰狼發出冷笑：「你早這樣乖多好，省得你我都這麼

勞累。」

鼬鼬說：「大灰狼，你真的不想放過我嗎？」

大灰狼說：「笑話，你問問我的肚子，放過你，他肯嗎？」

「既然這樣，我也不再說什麼，不過你得答應我一個條件。吃我時先從屁股下咬，讓我看看你張嘴是什麼樣子。」

大灰狼第一次碰上這樣的怪事，覺得很好笑，便滿口答應了。

於是，鼬鼬將屁股對準大灰狼，就在他張口撲上來時，噗噗放出兩個臭屁，大灰狼只覺得兩眼火辣辣地痛，眼淚流個不停，渾身發軟。鼬鼬大笑起來，問：「怎麼樣，我的『臭屁彈』好吃吧？」原來，鼬鼬肛門有一個臭腺，放出的臭氣足以讓敵人窒息。

大灰狼這下可領教了鼬鼬的厲害，他不敢停留，跌跌撞撞地逃走了。

望着大灰狼的狼狽相，鼬鼬哈哈大笑起來，一邊笑一邊唱：「我有一個好武器，牠的名字叫臭氣，哪個敢來欺負我，熏得他逃出十里地。」

黃鼠狼的自述

我的頭像老鼠，身子像狼，所以叫黃鼠狼。我的身體細長，四肢短，尾巴蓬鬆，住在岩下、草堆、樹洞裏，主要吃田鼠、蛙、昆蟲。我能放出一種臭氣，一些動物見了我，都躲得遠遠的。

知識小百科

1. 黃鼠狼專門偷雞吃嗎？

黃鼠狼主要吃田鼠，從食譜看，牠是益獸。冬天捕不到食物時，黃鼠狼偶爾也去偷雞吃。

2. 黃鼠狼怎樣對付狐狸？

狐狸是黃鼠狼的天敵，但黃鼠狼也有對付狐狸的辦法，那就是臭屁，牠會把狐狸熏得暈頭轉向，狼狽逃竄。

3. 黃鼠狼用什麼絕招擒食刺蝟？

刺蝟渾身長滿尖刺，遇到兇猛野獸時，把身子一蜷，誰也不敢惹牠。而黃鼠狼卻自有絕招，牠用臭屁把刺蝟熏昏，刺蝟身體就會自動伸展開來，成為黃鼠狼的美餐。

小斑馬的新衣服

閱讀提示

為什麼斑馬身上的顏色，黑褐色和白色相間？

在非洲大草原上，生活着一羣斑馬。他們身上都穿着黑褐色條紋和白色條紋相間的衣服，十分漂亮。

斑馬羣裏，有一隻出生不久的小斑馬，媽媽給他起名叫吉米。小吉米漸漸長大了。

一天，吉米看到一羣野馬從草原上跑過，他們都穿着棕紅色的衣服，在太陽照射下像燃燒的火燄，跑起來就像滾動的火團。吉米羨慕極了。

「要是我也穿上這樣的衣服該多好，多時髦的新裝啊！」吉米這樣想，他找到野馬大叔，「我也想穿棕紅色的衣服，請給我一件吧！」

起初，野馬大叔不肯，但經不住吉米苦苦哀求，最後還是給了他一件。

當吉米穿着新衣服，高興地跑到媽媽身邊時，媽媽急了：「你怎麼穿這麼一件衣服，快脫下！」

吉米不高興了：「多漂亮的衣服，為什麼要脫下來！」他把小嘴兒撅得高高的。

就在這時，一隻獅子跑來了。斑馬們一見，急忙分散開，鑽進草叢躲起來。

吉米躲到斜坡的草叢裏，以為獅子發現不了，誰知獅子竟朝他直撲過來。吉米嚇得抖成一團，心想：「這下死定了。」就在他絕望時，大象爺爺跑來了，揮動長鼻子朝獅子打去。獅子害怕大象爺爺的長鼻子，轉身逃跑了。

吉米撲到媽媽懷裏哭了。媽媽一邊安慰他一邊問：「你知道獅子為什麼會發現你嗎？」這正是吉米想問的問題。

媽媽說：「我們斑馬身上的條紋是一種保護色，這種黑褐色與白色相間的條紋，在陽光或月光照射下，反射出的光線不一樣。因為我們的身體和周圍顏色一樣，所以不容易被發現。可你穿的棕紅色衣服太顯眼，很遠就會看到。」

「都是這身棕紅色衣服惹的禍。」吉米後悔極了。從此，他又換上那套帶有黑白相間條紋的服裝，再也不追求「時髦」了。

斑馬的自述

我的樣子像馬，耳朵短，聽覺很靈敏，脖子後面也有長長的鬃毛。我生活在非洲，那裏大動物很多，而我的自衛和抗敵能力很差，為了適應環境，身上便長出黑褐色和白色相間的條紋，於是人們便叫我斑馬。

知識小百科

1. 斑馬睡覺時，為什麼頭朝圈裏屁股朝外呢？

　　斑馬像馬那樣站着睡覺，為了防止敵人襲擊，夜裏，一羣斑馬頭朝裏，屁股朝外，形成一個圈，一旦有猛獸襲擊，就立即揚起後蹄去踢敵人。

2. 斑馬為什麼常跟長頸鹿在一起？

　　長頸鹿脖子很長，向外凸出的眼睛很銳利，一有敵情就會發現。斑馬借助長頸鹿這種優勢來躲避敵害，只要看見長頸鹿逃跑，牠們就會立刻跟着逃跑。有時遇不到長頸鹿，牠們就互相把頭擱在對方的脖子上，各看一個方向，一有情況便互相通知，大家一起逃跑。

3. 斑馬為什麼長着一身條紋？

　　斑馬的自衞能力很差，為了生存，在長期生活中，牠適應了周圍環境，就長成了黑褐色和白色相間的保護色，使自己不被猛獸發現。

長頸鹿的脖子

閱讀提示

長頸鹿的脖子很長，長脖子給長頸鹿帶來什麼呢？

小鳥棒棒和長頸鹿奧克是好朋友。棒棒長得很小，只有小孩子的拳頭大，而長頸鹿卻是 6 米高的動物巨人，他倆怎麼會成為好朋友呢？

那是一個夏天的中午，出生不久的棒棒正坐在窩裏看風景。突然，有一個大個子在他眼前晃來晃去，還伸出又長又寬的藍紫色舌頭吃樹葉。棒棒嚇壞了，身子不停地往後挪，就從樹上掉下來了。幸好沒有摔傷，可是他還不會飛，無法回到窩裏，急得吱吱亂叫。

那個大個子就是長頸鹿奧克，他聽到棒棒的叫聲，問他：「你怎麼會跑到地上？」

「都怪你！」棒棒說，「媽媽回來看不見我，會着急的。」

奧克聽說棒棒是因為自己而掉下樹的，很不安，忙說：「別怕，我會讓你回到家裏。」說着，他吃力地把前腿叉開，呈八字形，又低下長脖子用嘴把棒棒銜住，艱難地站起來，把他送回窩裏。

「啊，他並不可怕，心腸很好呀！」

就這樣，棒棒便和奧

克成了要好的朋友。

一天，棒棒好奇地問奧克：「你的脖子這麼長，頸椎骨一定很多吧！」

「才不呢，和小老鼠一樣，只有 7 塊頸椎骨。」

這很讓棒棒吃驚。

「脖子這麼長，是不是很好玩？」

「怎麼會好玩呢？」奧克告訴他，因為長脖子，他成了世界上最高的動物，但也給他添了許多麻煩：喝水，他得又開前腿或者跪下來，不然就沒辦法喝到水；睡覺，得站着，如果躺下睡，遇到敵人時就很難站起來逃跑。

棒棒好像有問不完的問題：「你一會兒低頭喝水，一會兒抬頭吃樹葉，還像大吊車那樣把頭擺來擺去，不會引起腦出血嗎？」

奧克笑了：「怎麼會呢？別看我的血壓高達 350 毫米汞柱，但頸部的動脈有幾百條小血管，這些小血管調節血液的流量，血壓就正常了。」

哈哈，原來奧克的長脖子這樣奇妙。

不久，棒棒會飛了，和奧克更是形影不離，每天站在他頭上，替他瞭望，一旦有敵人，他會立刻告訴奧克逃跑。人們都說：「棒棒是奧克的一雙眼睛。」

長頸鹿的自述

我身高 6 米，脖子就有 3 米長，是動物世界的巨人。長脖子給我帶來許多麻煩：喝水，得又開兩條前腿，睡覺，得站着；只能吃樹葉不能低頭吃草。我除了善跑外，再沒有別的本事。

1. 為什麼很少聽到長頸鹿叫？

　　長頸鹿會叫，但卻很少叫，是因為牠的聲帶中間有淺溝，不好發聲；另外，長頸鹿發聲時需要靠肺、胸腔、隔肌的幫助，由於牠的脖子太長，這些器官之間相距太遠，叫起來很費力氣，所以，牠們一般很少叫。

2. 長頸鹿的血壓高達 350 毫米汞柱，不會因腦溢血而死亡嗎？

　　長頸鹿的血壓為 350 毫米汞柱。這麼高的血壓要是放在人和其他動物身上，會因腦溢血而立即死亡，而長頸鹿卻一點事也沒有。這是因為長頸鹿的頸動脈分成幾百條小血管，這些小血管調節血液的流量，所以長頸鹿抬頭吃樹葉時不會因大腦缺血而頭暈；低頭喝水時也不會因血液大量沖入大腦，造成腦血管破裂從而腦溢血死亡。

3. 長頸鹿媽媽怎樣照看剛生下的小鹿？

　　初生的小長頸鹿從地上爬起來十分困難，長頸鹿媽媽無法將牠帶在身邊，必須找個隱蔽的地方藏起來，長頸鹿媽媽每天二三次地跑去餵奶。一個月後，長頸鹿媽媽便把幼鹿領到另一個隱蔽地，那裏有許多小長頸鹿，有專門的母鹿照料。傍晚，長頸鹿媽媽們回來接替白天母鹿的工作，開始照顧自己的幼鹿。這樣，直到一年後幼鹿長大為止。

塘裏的泥怪

閱讀提示

犀牛為什麼愛滾泥塘？

狼從泥塘路過，忽然聽到一陣嗚嗚的叫聲，他往泥塘裏一看，只見一個怪物在泥裏滾來滾去，除了一對黑溜溜的小眼睛和頭上一長一短的尖角外，渾身全是泥巴。狼嚇壞了，撒腿就跑，邊跑邊喊：「快逃呀，塘裏有泥怪！」

那個「泥怪」聽了也從塘裏跑出來，緊跟在狼後面。狼一見，喊得更大聲了：「救命呀，泥怪要吃人啦！」

「泥怪」聽到喊聲，跑得更快了，一會兒就追上了狼。狼知道自己逃不了，乾脆趴在地上不動了。

「泥怪」慌慌張張地問：「泥怪在哪裏？」

狼嚇得結結巴巴地說：「你……你不是嗎？」

「泥怪」苦笑起來：「我以為真的有什麼泥怪，原來你把我當成泥怪了！」

狼瞪大眼睛仔細一看，哇，是犀牛！他氣得一跳三尺高：「你沒事為什麼要鑽泥塘變成醜八怪嚇人呀？」

「誰嚇唬你啦，我正在洗澡啊！」犀牛也很不高興，「本想好好

洗個澡，不料你搞破壞，真氣人！」

「洗澡？洗澡不去水塘，為什麼在泥塘裏滾？」

犀牛說：「蚊蠅專往我身上叮，我不去泥塘去哪兒呢？」

狼越聽越糊塗了：「蚊蠅叮和你滾泥巴有什麼關係？再說，你身上的皮厚得連子彈都射不穿，怎麼會怕蚊蠅叮呢？」

犀牛知道狼對他不了解，只好解釋說：「我的皮膚雖然很厚，但上面有許多褶，褶和褶之間的皮膚很薄，蚊蠅專往褶縫裏叮，再加上褶縫裏有許多寄生蟲，咬得我十分難受，只好滾泥塘，用泥把褶縫糊住，把裏面的寄生蟲悶死，讓那些蚊蠅咬不到。」

哦，原來是這樣呀！

狼不再埋怨犀牛裝泥怪嚇人，犀牛也不再埋怨狼打擾了自己洗澡。他倆你望望我，我望望你，都哈哈大笑起來。

犀牛的自述

我身長2～4米，體重1000公斤～3600公斤。因為我尾巴又細又短，眼睛很小，所以有人說我是醜八怪。我雖然醜，但是我很溫順，而且本事很大，我的皮膚厚得連子彈都打不透。誰要惹了我，我會發瘋似地橫衝直撞，鼻子上的尖角連獅子、老虎都害怕。

1. 犀牛鳥為什麼會和犀牛成為好朋友？

犀牛的皮膚有許多皺褶，一些小昆蟲常鑽進去吸血，弄得犀牛十分難受。犀牛鳥最愛吃這些蟲子，便飛到犀牛身上捉蟲，犀牛呢，也乖乖聽憑小鳥啄來啄去。生物學家把動物的這種「互相幫助」，叫作「共生」。

2. 犀牛在一個地方住下時，為什麼要撒尿屙屎？

犀牛的屎尿有一種特殊味道。犀牛沒有固定住處，只要在周圍撒上尿屙上屎，就算是牠的「疆界」。外來「人口」聞到這種特殊味道，就不敢進來，凡超過「疆界」的，會遭到犀牛攻擊。

3. 犀牛有多少種？

犀牛只剩下 5 種：非洲的白犀牛、黑犀牛和亞洲蘇門答臘犀牛都長兩隻角；爪哇犀牛住在茂密的東南亞熱帶雨林，吃小樹苗、矮灌木和水果，只有一隻角；印度犀牛生活在印度和尼泊爾，吃水果、樹葉、樹枝和稻米，也只有一隻角。

驕傲的刺猬

閱讀提示

刺猬滿身都是刺，為何會被吃掉？

　　這是一個春天的中午，太陽暖暖的。

　　刺猬艾艾躺在山坡草地上曬太陽，他把胖身子、小腦袋全露出來，就連四隻短小的腳也伸得直直的。小獾子見了，對他說：「艾艾，你這樣睡覺很危險，一旦狼來了，要送命的。」

　　艾艾哈哈大笑起來：「狼嗎？我才不怕呢！你沒見我身上又尖又硬的刺嗎？那可是『無敵』刺！」

　　艾艾說的並不誇張，他身上的刺參差不齊，互相交叉，厲害得很。一次，一匹狼不知深淺地想對艾艾下毒手，結果被他刺中。那刺扎上後自動從刺猬身上脫落，上面的倒鈎扎進狼的肉裏，怎麼也拔不掉，那四狼疼得拚命掙扎，誰知越掙扎，刺就鑽得越深，差點要了那匹狼的命。

　　儘管如此，小獾子還是勸他：「別大意呀，一大意，什麼事都會發生！」

　　艾艾卻滿不在乎地說：「放心吧，欺負我的人，還沒有出生呢！」

　　小獾子見他這樣驕傲，只好閉上嘴巴，不再

多說了。

艾艾被小獾子一頓囉嗦後，睡意沒了，便把身子一蜷，嘰里咕嚕滾下坡底，想到那裏看看風景。誰知到了山坡下，艾艾剛把頭伸出來，就見一隻黃鼠狼走來。艾艾忙把頭縮回，變成了一個「刺球」。

黃鼠狼幾天沒吃東西了，看見艾艾，恨不能一口將他吞下去。可是，見他渾身都是尖尖的刺兒，不知該怎樣下口，急得抓耳撓腮。

艾艾得意極了，心想，看你這個「偷雞賊」能把我怎麼樣！

其實，黃鼠狼對付獵物很有一套辦法：他會放「臭屁」，能把那些猛獸和獵狗熏得直流眼淚，渾身發軟。現在，他把屁股對準艾艾一使勁，噗噗放出兩個臭屁，艾艾立刻翻白眼，身子鬆散了，軟軟的肚皮也露了出來。黃鼠狼很高興，上去就是一口……

這個自以為沒有天敵的艾艾，想不到竟被自己的驕傲所害。

小獾子知道後，惋惜地說：「如果艾艾不自以為是，怎麼會丟了性命！」

刺猬的自述

我身上有尖尖的硬刺，蜷起來像個刺球。白天，我伏在草叢裏；夜裏，就出來捕食。你問我吃什麼？嘻嘻，我最愛吃那些昆蟲、田鼠、蛇等，要不，人類怎麼會說我是他們的好朋友！

1. 刺猬怎樣保護自己？

刺猬用又硬又粗的尖刺來保護自己，牠見了猛獸既不逃也不躲，只是把身子蜷成圓圓的「刺球」，使猛獸無法下口。

2. 刺猬喜歡吃什麼？

刺猬喜歡吃蚯蚓、蜥蜴、蝸牛、昆蟲、青蛙和各種水果。

3. 刺猬怎樣吃蛇？

刺猬雖然膽子很小，行動遲緩，卻有一套捕蛇的本領。牠攻擊蛇時，先狠狠地咬蛇一口，等蛇反應過來，閃電般撲向牠時，牠已把身體縮成「刺球」。蛇碰到刺猬的硬刺，剛想退卻，刺猬就趁機撲上去咬住蛇頭，咬碎蛇的脊椎骨，然後從尾部下口，把蛇吃掉。

會飛的小獸

閱讀提示

有沒有會飛的獸？請看本文介紹的蝙蝠你就會明白了。

這天，蝙蝠剛從冬眠中醒來，就聽說鳥兒要舉行演唱比賽，便急忙飛去報名。他來到報名點大聲說：「我也要參加比賽。」

負責報名的斑鳩看了看他，說：「你是鳥兒嗎？」

蝙蝠覺得很好笑：「我怎麼不是鳥兒？你沒見我長着翅膀，會飛嗎？」

「可是，我不認識你！」

蝙蝠趕緊自我介紹：「我是蝙蝠，白天棲息在山洞、縫隙或建築物內，只有夜裏才出來覓食。你當然不認識啦！」

「也許是這樣。」斑鳩點點頭，再仔細看看，又覺他跟鳥兒長得不一樣。鳥兒有羽毛，嘴裏沒有牙齒，可他身上怎麼沒有羽毛呢？說話時，為什麼嘴裏還露出細小的牙齒？斑鳩不確定，便去請示白頭翁博士。

白頭翁博士聽了，走出來仔細打量蝙蝠，然後問：「先生，你們蝙蝠是卵生還是胎生？」

蝙蝠說：「我們的寶寶都是胎生，生下的幼蝠趴在母蝠身上，吃母乳長大。」

白頭翁博士說：

怪怪的猴子

閱讀提示

猴子們互相在身上尋找什麼呢？

在綠綠的大森林裏，住着一羣猴子，他們在樹上蹦來蹦去，吱吱亂叫，鬧得四鄰不安。

「怎麼這樣吵呀！」剛搬來不久的大猩猩凱洛幾次去找猴王，對他說：「請管束一下你的猴子們吧，別讓他們再吵了。」猴王滿口答應，可是猴子們仍照吵不誤，氣得凱洛乾瞪眼。

一天，猴子們又開始吵鬧了，凱洛乾脆坐在樹上，想看看他們能鬧出什麼花樣來。誰知這一看，倒把凱洛看得目瞪口呆。那些猴子們從一棵樹蹦到另一棵樹上，敏捷得就像走平路一般。一隻猴子還把尾巴掛在樹枝上，頭朝下，蕩起鞦韆。蕩夠了，牠一個大翻身躍到另一根樹枝上。凱洛想不到猴子的本領會這樣大！

猴子們玩累了，便跳下樹互相在身上翻找什麼，一邊翻找還一邊往嘴裏送。凱洛很奇怪：「莫非猴子身上生虱子？」他去問猴王，猴王竟哈哈大笑起來：「怎麼

會生虫子？那是在找鹽粒吃呀！」

原來，猴子很需要鹽，可是，吃的東西含鹽很少。猴子經常出汗，汗水蒸發後就剩下小鹽粒結在毛裏，這樣，猴子們便在身上抓搔，找毛髮裏的鹽粒吃。

哈，這些猴子真是奇怪，但讓凱洛覺得更奇怪的事發生了。

那天，猴子們見樹下放了一些山果，便紛紛跳下樹去搶吃。他們抓起一個個山果不停地往嘴裏塞，不見嚼，也不見吞，不知把山果吃到哪裏去了。一會兒，山果被搶光了，猴子們這才躲到一邊，嘴巴開始不停地嚼動起來。

怎麼回事？凱洛又跑去問猴王，猴王解釋說：「我們嘴裏一邊有一個囊包，像口袋一樣，這些山果猴子並沒有吞到肚裏，而是存在『口袋』裏。等搶完食物後，便躲到一邊把食物吐到嘴裏慢慢嚼碎，然後再真正嚥到肚裏去。」想不到，猴子吃東西會有這一手！

不知是習慣了，還是覺得猴子很可愛，從這以後，凱洛再也不嫌他們吵鬧了！

猴子的自述

我們成羣結隊地住在熱帶、亞熱帶森林中，以果實、野菜、鳥蛋、昆蟲為食物。我能爬高，機敏靈活，本事大着哩。有時，我也頑皮，愛和人開個玩笑，搞點惡作劇什麼的，不過，我絕無惡意，絕對是人類的好朋友。

知識小百科

1. 一羣猴子中為什麼會有猴王？

猴子是羣居動物，牠們在一起常發生搶食、爭鬥的事，因此，需要一個「頭」管事。這樣，就有了猴王。猴王是打出來的，誰能打贏，誰就當猴王。如果猴王死了，或者年老體衰，猴羣就通過爭鬥產生新的猴王。

2. 猴子的尾巴有什麼用？

猴子尾巴的用處可大了，白頰赤猴利用尾巴幫助站立；蜘蛛猴用尾巴摘果實；細毛猴用尾巴把身體蜷在樹上睡覺；狐猴用尾巴掌握身體平衡……

3. 猴子的屁股為什麼是紅的？

猴子經常坐立，屁股上的毛被磨光，露出了皮膚，而屁股上的血管又特別豐富，血液的顏色就顯露出來，這樣，牠的屁股就變成紅色了。

「對不起,先生,你不是鳥類,不能報名。」

蝙蝠急了:「我會飛,怎麼說不是鳥?」

白頭翁博士卻說:
「會飛的不一定是鳥。
再說,你的翅膀和我們
的也不一樣呀!」

蝙蝠看了看白頭翁
博士的翅膀,發現他沒
有翼膜,而自己前後肢
間有一層薄薄的翼膜。

白頭翁博士又說:
「我們小鳥都是由蛋
孵化出來,而哺乳動物最顯著的特徵就是胎生和哺乳。你是會飛的小獸
呀!」

蝙蝠因為弄清了自己的身分,十分高興。他不好意思地說:「對不起,
給你們添麻煩了。」

白頭翁博士卻說:「你雖然不能參加鳥類演唱比賽,但歡迎你來欣賞
呀!」

蝙蝠滿口答應,不停地說:「謝謝,謝謝,我一定來!」說着,他抖
抖翅膀飛走了。

蝙蝠的自述

我是能夠飛翔的獸類,飛行時把腿向後伸,起
着平衡作用。我白天居住在山洞、縫隙、地洞
或建築物內,用後爪倒掛着休息。夜間,靠敏
銳的回聲定位來尋找食物。我主要吃昆蟲,有
助於控制害蟲數量。

1. 蝙蝠吃什麼？

　　一般來說，大蝙蝠類以果實或花蜜為食，小蝙蝠類則以捕食昆蟲為主。一隻 20 克重的食蟲性蝙蝠，一年能吃掉 3.6 公斤昆蟲。

2. 人們常用「飛禽走獸」一詞來形容鳥類和獸類，這種說法準確嗎？

　　不準確。因為，有些鳥類並不會飛，如鴕鳥、企鵝等；也有一些獸類並不會走，如生活在海洋中的鯨類等，而蝙蝠類不能像陸地獸類那樣在地上行走，卻能像鳥類一樣在空中飛翔。

3. 蝙蝠為什麼要冬眠？

　　蝙蝠冬天尋食困難，一般都要冬眠。這樣，蝙蝠可以降低新陳代謝，讓呼吸和心跳每分鐘僅有幾次，血流減慢，體溫降低到與環境溫度相一致以保存體內營養。但是，蝙蝠冬眠時睡眠不深，有時會排洩和進食，驚醒後立即恢復正常。

貪睡的樹熊

閱讀提示

樹熊為什麼愛睡懶覺？

「喂，樹熊，你怎麼還在睡呀？」小猴可可大聲喊道，「快起來，你已經睡了二十多個小時了。」

樹熊睜開眼睛，望了望小猴，嘟囔着說：「你煩不煩呀？我還沒睡夠呢，去，別搗亂！」說着，他眼一閉，坐在樹上又呼呼大睡起來。

樹熊常年住在樹上，胸前有一個口袋，是育兒用的，所以又叫樹袋熊。由於沒有尾巴，他也叫無尾熊。別看他有一個「熊」字，卻不是熊。不過，他溫順的性情，憨厚的樣子，倒很像熊。

小猴可可見他又睡着了，以為他得了嗜睡症。「這樣睡可不行，不吃不喝，身體怎麼受得了！」可可不管樹熊煩不煩，揪着他的長耳朵，大聲喊：「喂，樹熊，不能再睡了，快起來吃飯！」

樹熊被揪疼了，他睡眼朦朧地說：「你就讓我再睡一會兒吧，就一會兒。」

「那怎麼行呢？這樣睡下去會生病的，快起來，吃完飯跟我一起去玩。」

樹熊不情願地站起來，開始大口大口地吃桉樹葉子，小肚皮很快就鼓了起來。

可可說：「快下樹去喝點兒水。」

樹熊搖搖頭：「我從不

喝水，因為桉樹葉子裏的水分足夠我身體用了。」說着，他坐在樹上又打起瞌睡來。

可可說：「剛吃飽飯要活動，不能馬上睡覺。」

誰知，樹熊卻說：「多管閒事，睡覺也不得清閒！」

「你真是不識好歹！」可可氣呼呼地跑回家。媽媽見他拉長着臉，問：「誰惹你了？」

可可撅着嘴巴說：「樹熊太沒禮貌，我好心讓他別貪睡，他卻說我多管閒事。」

媽媽笑了，她說：「樹熊必須多睡覺，你不該妨礙他呀！」

「什麼？樹熊必須多睡覺？為什麼呢？」

媽媽說：「樹熊專吃桉樹葉子，而桉樹葉含纖維特別高，營養卻特別低，他為了最大程度地節省能量，保存體力，每天必須睡上 18 ～ 22 個小時！」

原來是這樣呀！

從此，可可再也沒有打擾樹熊睡覺了，因為他知道每一種動物都有自己的習性。

樹熊的自述

我生活在澳大利亞。由於我住在樹上，樣子像熊，腹部有一個育兒袋，所以人們又叫我樹袋熊。我主要吃桉樹葉子，從中獲取身體所需的 90％ 的水分，所以，我通常很少喝水，只在生病和乾旱時才喝水。我性情溫順，體態憨厚，樣子十分可愛。

知識小百科

1. 樹熊吃什麼？

　　樹熊以桉樹葉和嫩枝為食。一隻成年樹熊每天能吃掉 1 公斤左右的桉樹葉。桉樹葉含營養很少，因此，樹熊盡量減少自己的活動量，待在樹上，就連睡覺也不下來。這樣，牠可以儲存更多的能量以維持生存。

2. 樹熊腹部的口袋是有什麼作用？

　　那是樹熊媽媽的育兒袋，小樹熊剛出生時，只有 2 厘米長，幾克重，好像一隻粉紅色的軟糖。牠不需要媽媽的幫助，自己爬到媽媽的育兒袋中，在那裏含住乳頭吃奶。大約過了 22 周，小樹熊才睜開眼睛，從育兒袋中鑽出腦袋。一年後，小樹熊才離開媽媽獨立生活。

3. 樹熊在樹上不會摔下來嗎？

　　樹熊雖然沒有明顯的尾巴，卻不影響牠在樹上的平衡。牠肌肉發達，四肢均有尖銳的長爪，適合在樹枝間攀爬並支持牠的體重。牠的爪子適應於抓握物體和攀爬，粗糙的掌墊和趾墊可以緊抱樹枝，這些都保證了樹熊在樹上的安全。

國寶大熊貓

閱讀提示

大熊貓是中國的國寶,牠究竟有什麼特別的本領?

　　大熊貓陽陽是個樂天派,每天吃飽了,就一邊走一邊哼着小曲:「密密竹林是我家,清清溪水供我玩,我吃竹葉和竹芽,走到哪就吃到哪。累了我就歇一歇,困了我就睡竹下。」

　　歌聲把小猴卡爾引來了,他和陽陽是好朋友,經常在一起玩。他說:「陽陽,到哪兒去呀?」

　　「我到湖邊去喝水!」大熊貓每天都離不開水,只要找到水源,就喝個沒完沒了。

　　「你不想去村莊看看嗎?」

　　「村莊是什麼?」陽陽不解地問。

　　「村莊就是有房子,有人,有雞、鴨、鵝、狗的地方,那裏可熱鬧啦!」其實,卡爾也沒去過,他是聽媽媽說的。

　　陽陽一聽說那裏很熱鬧,就想去看看。他跑到湖邊喝足了水,跟卡爾一起上路了。

　　村莊不遠,距離竹林只有幾千米。當陽陽看到

一座座泥瓦房時,眼睛一下瞪大了,卡爾也高興得不停翻筋斗。

一隻小狗跑來了,他見過猴子,卻不認識大熊貓,見陽陽身上的毛黑白相間,身體胖胖的,頭圓尾短,不知是什麼怪物,汪汪大叫。

陽陽嚇壞了,卡爾靈機一動,大聲說:「陽陽是大熊貓,是國寶,別嚇着他。」

哈,這一招真靈,小狗立刻不叫了,還朝陽陽搖尾巴。

村裏人聽說來了大熊貓,都紛紛跑出家門,熱情招待陽陽。有人上山砍嫩竹餵他,有人舀水給他喝,小朋友都爭着拿出玩具給他玩,那隻小狗還叼來小皮球,對陽陽說:「我們一起玩球吧。」

陽陽想不到人們對他這樣好,快活得不斷扭着胖屁股。卡爾更為有這樣受人歡迎的國寶朋友感到驕傲。

不久,村裏來了幾個人,他們是大熊貓保護區的工作人員。這些人忙着為陽陽檢查身體,然後要把他送回竹林。陽陽真捨不得離開,不過他知道自己的家在竹林裏,只好依依不捨地離開這個給他快樂的村莊。

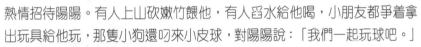

熊貓的自述

我身體像熊一樣肥壯,笨拙,臉又像貓一樣可愛,所以人們叫我熊貓。我頭、胸、腹、背、臀都是白色,而四肢、兩耳、兩眼圈卻是黑色,長得又乖,性格又溫順,十分招人喜愛。我生活在中國西南地區的高山中,主要食物是竹子。

知識小百科

1. 大熊貓為什麼被稱為國寶？

　　大熊貓是一種古老動物，牠只生活在中國的四川、甘肅、陝西的少數地區。現在活着的大熊貓僅有一千隻左右，被看作是中國的國寶。

2. 大熊貓的數量為什麼這樣少？

　　大熊貓的主食是竹子，每天要吃鮮竹近二十公斤，一旦竹子大批枯死，大熊貓就會因斷糧而大批死亡。

　　大熊貓分布範圍不廣，多近親繁殖，幼兒成活率不高，因而數量越來越少。

　　大熊貓視力不好，聽力也不好，自衛能力極差，容易被兇悍動物襲擊。另外，大熊貓容易患蛔蟲病等消化道疾病。

　　以上原因造成大熊貓數量越來越少。

3. 為什麼大熊貓被稱為「活化石」？

　　大熊貓在數百萬年前就已存在，而那些曾經和牠生活在同時代的劍齒虎、猛獁象等動物，都早已消失。大熊貓便成為人類科學研究的珍貴的「活化石」。

愛蹦跳的拳擊手

「吉米肯定會拿冠軍！」

「不，冠軍一定是卡利！」

兩隻袋鼠為誰贏誰輸，爭得面紅耳赤。

原來，袋鼠王國每年都舉行一次盛大的拳擊比賽。這是因為他們在草原上經常遇到敵人，逃不掉時，就靠拳擊來進行自衛。所以，他們想通過比賽，來提高每隻袋鼠的拳擊本領。

當袋鼠王宣布比賽開始時，辛格爾大草原立刻響起歡呼聲。這時，吉米和卡利從東西兩個方向進入賽場。

別看袋鼠長着四條腿，可前腿很短，全靠強健有力的後腿蹦跳。吉米不愧是個高手，只見他縱身一躍，一下離地 4 米高，而卡利更是了不起，一下就跳出 13 米遠。

觀戰的袋鼠都用大尾巴敲地助威，大草原響起有節奏的啪啪聲。

比賽開始了，只見吉米和卡利一下站起來，身後的長尾巴支地，與兩條後腿構成三角支撐。他們的拳擊很有趣，用兩條前腿去

擊打對方頭部、胸部，好像小孩子在做體操。

不久，吉米就挨了對方兩拳，他只能捂着臉，無法還手。這時，場外觀眾高喊：「吉米加油！吉米加油！」

吉米也許受到了鼓勵，往後一跳，躲開了卡利的拳頭。正在卡利十分得意時，吉米突然往前一蹦，將頭一低，一下拱到卡利的胸脯上。

要知道，吉米身高兩米多，體重八十多公斤，這一蹦一拱，足有幾百公斤的衝力，卡利哪裏受得住！他被撞得人仰馬翻，吉米趁機揮動長尾巴啪啪啪打了起來，拳頭也雨點般落在卡利身上。卡利被打得暈頭轉向，只好舉起前腿表示服輸。

這場比賽，前後不到三分鐘。當袋鼠王宣布比賽結果時，草原上響起一片歡呼聲。

觀眾紛紛向吉米獻花。吉米卻把花兒送給了卡利，他說：「比賽是為了互相學習，友誼才是第一啊！」兩個賽場上的對手，緊緊地擁抱在一起。

袋鼠的自述

我生活在澳洲大陸的森林和草原上，以草和樹葉為生。因為我們的樣子像鼠，而雌鼠的肚子前面有一個口袋，所以人們叫我們袋鼠。我的上肢又短又小，但兩條後腿卻又長又有力氣，跑起路來一蹦一蹦的，快極了，能追得上越野汽車。

 # 知識小百科

1. 有袋類動物有多少種？

　　有袋類動物除了袋鼠外，還有袋狼、袋貓、袋熊、袋鼬等等，共有數百種，大部分都分布在澳大利亞，所以，澳大利亞是有袋類動物的故鄉。

2. 雌袋鼠肚子前面的皮口袋有什麼用？

　　袋鼠媽媽快生孩子時，便忙着打掃口袋，用舌頭把裏面的髒東西舔乾淨，大家把這個口袋叫作育兒袋。剛生下的袋鼠寶寶只有雞蛋那麼大，好像一個小肉團。小袋鼠在裏面叼着媽媽的奶頭吸奶，直到三個月後才能獨立行動。這時，小袋鼠遇到危險，仍會鑽到媽媽的育兒袋裏躲起來。

3. 小袋鼠出生後怎樣進入育兒袋呢？

　　小袋鼠生下來就能憑着直覺爬向母親的育兒袋。袋鼠媽媽則在自己的皮毛上為牠舔開一條小路，小袋鼠就順着這條小路一步一步爬到育兒袋的袋口，然後跳入袋中。

田野「小哨兵」

閱讀提示

小小的土撥鼠住在泥土下，但是為何牠們需要很高的警惕性呢？

這是一個有月亮的夜晚，土撥鼠一家都睡了，睡得香香的，只有一個叫兵兵的土撥鼠還站在洞外，不時地東張西望。

這時，不遠處傳來窸窸窣窣的聲音，兵兵立刻伏在草叢中，把眼睛瞪得又圓又大。他看見一個身影走來，剛想報警，卻發現他是田鼠呦呦。

兵兵不高興地說：「你嚇了我一跳。這麼晚了，你跑出來幹什麼？」

「我餓了，出來找吃的！」呦呦解釋完，又反問兵兵，「這麼晚了，你怎麼不睡呢？」

兵兵挺着小胸脯回答說：「我在放哨！」

「你們住在洞裏不是很安全嗎？為什麼還要放哨呢？」呦呦有些不解。

呦呦雖然多次在田裏見過土撥鼠，而且知道他是挖洞能手，能挖出幾米深的洞，並且有兩個以上的洞口，非常安全，但對他們站崗放哨的事，卻是一無所知。

兵兵告訴他，這是他們老祖宗留下的規矩。兵兵還對呦呦說：「世上沒有萬無一失的保險櫃，對那些壞傢伙不能不防呀！」

呦呦十分好奇，想看看兵兵

是怎樣放哨的。

月亮慢慢移到那棵老桑樹上，月光下，兵兵身上的皮毛顯得更加光滑，身後那條蓬鬆的尾巴顯得更加可愛。微風吹來，樹葉、草葉發出沙沙聲。兵兵瞪大眼睛注視四周，不時地挪動短短胖胖的手腳，在洞的周圍來回走動。

過去，呦呦一直以為兵兵很笨很呆，今天才發現他是那樣聰明，那樣機警！

突然，兵兵站住了，兩隻後腿一下立起，小腦袋不停轉動起來，顯然他發現了可疑情況。他咕咕叫了兩聲，聲音很低，不久，又咕咕叫了兩聲，這次聲音很脆很響。

呦呦不解地問：「你剛才叫喚什麼？」

兵兵笑了，他說：「剛才有一匹狼從前面走過，我立刻用低低的叫聲發出預警，讓洞裏土撥鼠做好逃跑的準備，後來狼跑遠了，我便又用叫聲宣布解除警報。」

呦呦想不到兵兵這個小哨兵是這樣盡職盡責。

土撥鼠的自述

我又叫旱獺，最迷人的就是那條可愛的尾巴和短短胖胖的手腳，還有我呆呆傻傻的模樣。我雖然膽子很小，卻十分機警，能游泳，能攀爬，還善於挖洞哩，要不怎麼會叫我土撥鼠？

知識小百科

1. 土撥鼠怎樣挖洞？

土撥鼠善於挖掘地洞，挖的洞穴深達數米，裏面還有鋪草的居室，非常舒適。每個洞都有兩個以上的出入口，如果來了敵人，逃走十分方便。

2. 土撥鼠吃什麼？

土撥鼠主要吃苜蓿草、萵苣、蘋果、豌豆、玉米等，一隻土撥鼠一天最多可以吃五公斤。土撥鼠不貯存食物，夏天體內會貯存很多脂肪，以便冬季在洞內冬眠時消耗。

3. 土撥鼠為什麼要放哨？

土撥鼠沒有防禦能力，只有逃跑的本事。牠們的警惕性很高，出洞和進洞前，都要察看周圍情況，夜裏還派出土撥鼠負責放哨。一旦有敵情出現，放哨的土撥鼠會立即通知洞內的土撥鼠逃跑。

狼王艾洛

閱讀提示

狼家族靠什麼生存下來？

　　小狼艾洛丟了，是趁爸爸媽媽下山喝水時，跑出洞走丟的。要知道，他出生只有半年，牙齒還沒長全，還不會吃東西呀！狼爸爸、狼媽媽急瘋了，四處尋找，一連幾天也沒找到。

　　一天，艾洛的爸爸帶着全家外出捕食時，突然聽到了小狼的笑聲。「是艾洛！」媽媽驚喜地說。

　　他們順着笑聲找去，看到一匹老狼正把嚥下去的食物吐出來，口對口地在餵艾洛。艾洛一邊吃一邊不時地大笑。

　　原來，幾天前老狼外出時，遇到走丟的艾洛，便把他收養了。這是狼王國的規矩，遇到幼狼，不論是不是自己的孩子，都要主動進行照顧。

　　老狼把艾洛交給了他的爸媽，囑咐他們：「看好孩子，別再讓他走丟了。」艾洛在爸媽的關懷下很快長大了，成了狼王。

　　一天夜裏，當艾洛帶着自己的族羣外出捕食時，忽然從遠處傳來嗷嗷聲，這是求救的信號。艾洛立即帶着族羣向那裏奔去。

當艾洛趕到時，只見一隻山豹正撲向一匹老狼，老狼抵擋不住，處在危險之中。

艾洛一眼就認出那匹老狼就是當年他走失時餵養他的恩人。艾洛兩眼閃動綠光，發出一聲嗥叫，只見十幾匹狼一下散開，兩條前腿貼近地面，身子後半部略略抬高，一步一步向前爬去。

山豹見突然來了這麼多狼，心裏非常害怕，放下老狼，準備對付狼羣。這時，艾洛又發出一聲嗥叫，這是出擊的命令，羣狼一躍而起，從四面向山豹衝去。山豹害怕了，沒等交手，便逃跑了。

老狼十分感謝狼王的救命之恩。

艾洛說：「我是艾洛呀，當年我走丟了，是你救了我呀！」

這時，又跑來一羣狼，他們也是聽到老狼的呼叫聲趕來的。

艾洛見了十分感慨地說：「我們狼王國之所以這樣強大，這樣興旺，完全是因為有這種團隊精神！」

狼的自述

我像狗，卻比狗大。別看我兇狠殘暴，敢吃比自己大的熊、鹿等野獸和豬、羊等牲畜，但我對小狼愛護備至。平時我獨來獨往，遇到危急情況，只要用嗥聲發出信號，大羣狼就會應聲而來，一起去攻擊其他動物。

知識小百科

1. 狼吃什麼？

　　狼以肉食為主，專吃兔子、野雞、鹿類、鼠類、家禽、家畜等，也吃腐肉和屍體，偶爾還吃一些植物，甚至殘殺同類。狼的食量很大，一次可以吞食數十公斤肉，飽餐一頓後，可以數日不吃。狼的忍飢性也很強，可以忍受一星期的飢餓。

2. 狼為什麼愛嗥叫？

　　狼在夜晚嗥叫，以便集合在一起去覓食。在繁殖期內，狼用叫聲來尋找配偶。有時，狼用叫聲告訴其他狼羣自己的勢力範圍，警告別的狼不要跑來騷擾，這樣就可避免一場戰爭。

3. 狼怎樣愛護自己的孩子？

　　為了讓小狼吃到易於消化的食物，老狼會把自己吃下去的食物吐出來給小狼吃。為了培養小狼獨立的尋食能力，老狼故意不把獵物咬死，叼回來讓小狼學習捕捉，以此訓練小狼的捕食能力。

會放毒汁的鴨嘴獸

鴨嘴獸與敵人相遇，會怎樣保護自己？

一天，小鹿米西偷偷離開鹿羣，獨自向河邊走去。

這是澳大利亞的一條無名河，河水在陽光下泛出耀眼的金波。米西正欣賞河裏景色，突然發現一隻動物慢慢游上岸來。他的身體只有半米長，腦袋很小，呈半球狀，尾巴又長又扁，四肢卻很短，五個趾間有薄膜——蹼，像鴨子的腳。

米西很有禮貌地問：「你好，請問你是誰？」

「我是鴨嘴獸。」

哇，他的嘴巴又長又扁，很像鴨嘴，難怪他叫鴨嘴獸！

從鴨嘴獸的自我介紹中，米西得知：鴨嘴獸是水陸兩棲動物，平時住在水邊的洞裏，愛吃河裏的貝類、螺類等軟體動物，大部分時間都生活在水裏。

米西不解地問：「你在水裏，耳朵會進水嗎？」

「怎麼會呢？我在水裏時，眼睛、耳朵、鼻孔全都閉着。」

「閉上眼睛怎麼尋找食物呢？」

鴨嘴獸笑了，說：「我靠敏感的觸覺在河底尋找食

物！」

也許是想讓米西看看自己的本事，鴨嘴獸又爬回河裏，潛進水裏，一會兒就銜出一個河螺來。

米西正看得出神，有一條鱷魚已向他靠近。當他發現時，鱷魚已張開大嘴，露出一排尖尖的牙齒。米西嚇呆了。

「米西，危險，快躲開！」鴨嘴獸話音未落，鱷魚就向米西撲去。與此同時，鴨嘴獸將後足朝鱷魚肚子一伸，只見鱷魚一陣痙攣，縮回河裏不見了。

原來，雄性鴨嘴獸的後足有刺，內存的毒汁幾乎與蛇毒相同，若被他的後足刺傷，就會引起劇痛，數月才能恢復。

米西十分感謝鴨嘴獸的救命之恩。

鴨嘴獸告誡米西說：「動物世界充滿殺機，可要提高警惕呀！」

小鹿米西聽了直點頭。

這次外出，讓米西大開眼界，不僅認識了鴨嘴獸，還知道世上有像鱷魚這樣的壞傢伙，他覺得自己一下長大了。

鴨嘴獸的自述

我四肢很短，像鴨足有蹼；嘴巴扁平，形似鴨嘴；沒有牙齒；尾巴起舵的作用。我住在澳大利亞，平時喜歡在水邊穴居，屬水陸兩棲動物。

知識小百科

1. 鴨嘴獸是卵生還是胎生？

　　哺乳動物都是胎生，而鴨嘴獸卻像鳥類一樣生蛋，一次最多生三隻蛋，靠母體溫度進行孵化。鴨嘴獸媽媽沒有乳房和乳頭，牠的肚子上有乳腺區，能分泌乳汁，小鴨嘴獸就靠舔食乳汁長大。

2. 鴨嘴獸住在哪兒？

　　鴨嘴獸生長在河、溪的岸邊，大多時間都在水裏。牠在水中閉着眼睛，靠觸覺敏感的嘴來尋找食物。牠以軟體蟲及小魚蝦、貝類為食。

3. 鴨嘴獸靠什麼自衞？

　　鴨嘴獸發現敵人除了跳進水中，鑽進洞裏躲避外，雄鴨嘴獸後足還有刺，刺裏面存有毒汁，其毒性與蛇毒相近，敵人一旦被毒刺刺傷，就會引起劇痛，需經幾個月才能恢復。這是牠的「護身符」。

哭泣的鱷魚

北極狐的一家

閱讀提示

只有相親相愛，才能共渡難關，享受美好生活。
北極狐一家在嚴寒的北極不是這樣生活嗎？

在冰雪茫茫的北極，住着北極狐一家：丈夫維克，妻子卡嘉，還有十幾個孩子。卡嘉是一家之主，受到家庭所有成員的愛戴。

卡嘉每天帶着維克和幾個大孩子去尋找食物。

初春的北極依然寒風刺骨，冰雪覆蓋。遠處山林已泛出綠色，那裏有許多鳥兒、鳥蛋，還有北極兔，這些都是北極狐喜愛的食物！

卡嘉一邊跑一邊警惕地察看四周，突然站住了。

「發生了什麼事？」維克疑惑地問。

卡嘉把扁鼻孔張了張，說：「我聞到旅鼠的氣味。」旅鼠也是北極狐的主食。

維克嗅了嗅，真的有旅鼠的氣味，他順着氣味在一塊雪地停下，開始用前爪去挖，果然發現一個旅鼠窩。維克用腿將雪做的鼠窩壓塌，將窩裏的旅鼠儘快捉住。

誰知，有幾隻旅鼠漏網了，四面逃竄，卡嘉緊追不捨。突然，她

 71

一下栽倒了，哎喲哎喲地叫起來。她的一隻腿被鐵夾夾住了，這是獵人為獲取北極狐珍貴的皮毛做的陷阱。大家很着急，用力去掰夾子，可是怎麼也掰不開。

卡嘉懇求說：「別白費力氣了，你們快走吧，否則獵人來了都會沒命的。」

大家說：「我們絕不會丟下你不管！」

這時，維克想出一個主意：「我們把卡嘉的腿咬掉吧，這樣她才能活命。」於是，大家輪流用牙齒咬卡嘉的腿，咬斷後，大家背着卡嘉往回跑。

孩子們見到媽媽負了傷，誰也不肯去吃帶回來的旅鼠。卡嘉忍着疼說：「我不是很好嗎？我們還要活着，怎能餓着肚子！」說着，帶頭吃起來。

十幾天後，卡嘉在一家人的照顧下，很快養好了腿傷。卡嘉很不好意思地說：「我讓大家受累了。」

維克說：「我們不是一家人嗎？怎可以說這種話？」

是啊，只有一家人相親相愛，才能一起渡過難關，享受美好的生活。從此，北極狐一家在三條腿卡嘉的帶領下，更加友愛，更加快樂了。

北極狐的自述

我又叫藍狐、白狐，生活在北極。我的特點是嘴短，耳短，腿短，冬季時全身都是白色，能在 -50℃ 的冰雪上生活。我主要吃旅鼠、兔、鳥類與鳥蛋、漿果和北極兔，有時也會到海岸邊捕捉貝類。

知識小百科

1. 北極狐媽媽怎樣愛自己的孩子？

北極狐媽媽從不獨吞食物，牠捕到獵物後，總是叼回來，和孩子們一起吃。

2. 北極狐家族中誰是「一家之主」？

在一羣北極狐中，雌北極狐是一家之主。雌北極狐之間有着嚴格的等級，牠們當中只有一隻可以支配、控制其他北極狐。

3. 北極狐怎樣吃旅鼠？

北極狐最喜歡吃旅鼠。當牠聞到旅鼠窩的氣味，或者聽到旅鼠窩裏旅鼠的尖叫聲時，就會迅速地挖掘雪下的旅鼠窩，當牠扒得差不多時，就會借着躍起的力量，用腿將旅鼠窩壓塌，然後將窩裏的旅鼠一網打盡。

哭泣的鱷魚

閱讀提示

千鳥與鱷魚為什麼會形影不離？

　　河邊的鱷魚眼淚吧嗒吧嗒地往下掉。一隻從遠處飛來的千鳥看見了，上前關心地問：「鱷魚，什麼事讓你這樣傷心呀？」

　　鱷魚見是一隻小鳥，不高興地說：「我每天吃魚吃蛙吃野兔，肚子飽飽的，怎麼會有傷心事呢？」

　　「那你為什麼哭呢？」

　　鱷魚見千鳥刨根問底，就胡亂找個理由想打發他：「我的牙縫塞滿了肉渣，太難受了。」接着，又擠出兩滴「眼淚」。

　　鱷魚牙縫的確塞滿了肉渣，也的確很難受，但他流「眼淚」絕不是因為這個原因，而是他的腎臟排洩功能不完善，體內多餘的鹽分要靠鹽腺往外排洩，而鹽腺正好在眼睛附近，不知情的就以為他在流眼淚。

　　千鳥不知情，還真以為像鱷魚說的那樣，他急得直打轉轉：「怎樣才能讓你不難受呢？」

　　鱷魚本來是在騙千鳥，但見他如此着急，好感動。鱷魚見千鳥的嘴很尖，突生一個念頭，便對千鳥說：「你能用嘴幫我剔牙嗎？」

　　千鳥二話沒說，

滿口答應。可是，一見到鱷魚張開的嘴巴，還有兩排尖尖的牙齒，千鳥害怕了，擔心地問：「你不會閉上嘴巴咬我吧？」

「怎麼會呢？你幫我剔牙，我感謝還來不及呢！再說，你剔牙，還可以吃到肉渣呀！」

千鳥一聽能吃上肉渣，便什麼也不顧，連說：「好，好。」他抖着翅膀，就飛進鱷魚的嘴裏，開始用尖嘴一啄一啄地幫鱷魚剔牙。

別看鱷魚樣子很兇，現在卻表現得十分溫順。他張大嘴巴一動也不動，任千鳥啄來啄去。不一會兒，千鳥把鱷魚牙縫全剔乾淨，鱷魚舒服極了，不停地感謝千鳥；千鳥呢，也把肚子填得飽飽的。

鱷魚高興地說：「你別飛走了，就做我的牙籤師吧！」

千鳥巴不得做這種利人利己的事兒，不停地點頭。

從此，千鳥和鱷魚便成了形影不離的朋友，每次當鱷魚吃完東西後，就把嘴巴張開，讓千鳥來啄吃肉渣。於是，千鳥便有了一個新的名字——牙籤鳥。

鱷魚的自述

我不是魚，是水陸兩棲爬行動物。我的四肢短，可以在水裏游來游去。我的皮膚很厚，鼻孔開在頭部上方，潛水時，有一個瓣膜將鼻子蓋住，這樣，水就不會流進鼻孔。我主要以甲殼類、魚類、蛙類等為食物。

知識小百科

1. 為什麼説鱷魚是最高級的爬行動物？

鱷魚的牙長在上下頜的齒槽中；口腔頂壁有骨質腭，把口腔和鼻腔隔開；心臟分為四室，即左右心房和左右心室。這些特點跟其他爬行動物不同，而跟哺乳動物接近，所以，鱷魚是最高級的爬行動物。

2. 鱷魚吃食時，為什麼流眼淚？

鱷魚身上的鹽分很高，而牠的腎功能不完善，不能通過出汗排洩，只好通過鹽腺排出，而牠的鹽腺正好位於眼睛附近，鱷魚「流淚」是在排洩身上多餘的鹽分。

3. 為什麼説揚子鱷是珍稀動物？

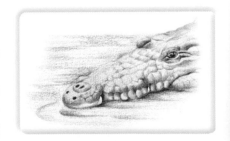

揚子鱷大約在 1 億 1 千萬年以前就生活在中國浙江、安徽等省的揚子江（即長江）中了，被稱為「活化石」。牠冬眠期長達半年，每年 7 月產蛋，每次產 20 至 50 枚蛋，能成功孵化成幼鱷的只有十來枚。由於牠繁殖率低，瀕臨滅絕，被中國列為一級保護動物。

老虎怕山雀

大老虎為什麼害怕小小的山雀？

誰會想到兇猛無比、自稱百獸之王的老虎，竟會害怕小小的山雀！

這事要從一隻名叫貝貝的雄虎說起。一天，貝貝正在追捕一隻小鹿，忽然飛來一羣小山雀，噼里啪啦地往他身上屙屎，他頓感渾身灼痛，不久，因全身皮膚潰爛而死。臨死前，他對自己的兒子小貝說：「我是被山雀的糞便腐蝕而死的。」從此，小貝再也不敢外出了，因為在茫茫原野上，到處飛着山雀。

「不出去捕食，不是要餓死嗎？」藏在草叢中，小貝在想怎樣不挨餓，又能躲避山雀的辦法。突然，他想出個好辦法。於是，他來到一位畫家的家，對他說：「請你用紙給我畫一件花衣裳。」

畫家很奇怪，又不敢說話，只好給小貝畫。一會兒工夫，畫家就把花衣裳畫好了。小貝穿在身上，跟原來的花紋一模一樣，看不出是真是假。小貝十分滿意地離開了畫家的家。

現在，小貝在叢林裏走着，格外神氣。那些野豬、狐狸、山豹見了，都嚇得躲了起來。

這時，叢林裏飛來一羣山雀。往日，小貝見了山雀，會嚇得沒命地逃，可今天，他卻邁着正步，抬着頭，好像沒看見一樣。

「怎麼回事？那是老虎嗎？」山雀們奇怪起來。

「是呀，你看那身花衣裳，一定沒錯！」一隻山雀說。

「可是，他今天見了我們為什麼不跑呢？」

原來，老虎最怕山雀的糞便，因為山雀糞便含酸性，落在身上，毛皮會很快爛掉。現在，小貝穿着紙做的花衣裳，才不怕山雀屙屎呢。他朝山雀大聲唱道：「我有一件花衣裳，真是好看又好用，小小山雀誰怕你，我是真正的虎大王。」

正在小貝誇口時，偏偏下起了大雨，把他的紙衣裳打濕了，就在這時又颳起了大風，把他的紙衣裳颳破了，碎紙片在風中忽閃忽閃。小貝一見，嚇得嗷嗷大叫，撒腿就往草叢裏鑽。

山雀們一見，知道那件花衣服是假的，都哈哈大笑起來：「哇，原來他是一隻紙老虎呀！」

虎的自述

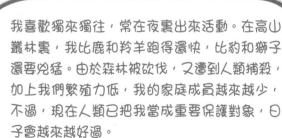

我喜歡獨來獨往，常在夜裏出來活動。在高山叢林裏，我比鹿和羚羊跑得還快，比豹和獅子還要兇猛。由於森林被砍伐，又遭到人類捕殺，加上我們繁殖力低，我的家庭成員越來越少，不過，現在人類已把我當成重要保護對象，日子會越來越好過。

知識小百科

1. 動物園的老虎為什麼白天總睡覺？

　　老虎捕捉小動物吃，而小動物一般都在晚上出來活動，老虎也只好晚上出來捕食，時間長了就養成白天睡覺的習慣。老虎到了動物園，這個習慣並沒有改變，所以小朋友去動物園參觀時，總看到老虎在睡覺。

2. 東北虎為什麼被稱為叢林之王？

　　東北虎分布於中國東北的小興安嶺和長白山山區。牠體魄雄健，行動敏捷，虎爪和犬齒利如鋼刀。遇到獵物時，牠敏捷竄出，將獵物撲倒，因此被稱為「叢林之王」。

3. 老虎和獅子到底誰最厲害？

　　老虎生活在亞洲的叢林裏，獅子的家在非洲大草原上，牠們沒辦法碰在一起，更無法較量。不過，動物學家從牠們的捕食方法和靈活性的研究中得出：可能老虎更厲害一點。

小獅子戈戈

閱讀提示

獅子需要學自衞嗎？

　　戈戈是獅子小學一年級的學生，最不愛上「自衞」課，一到了上「自衞」課時，他就趴在桌上睡覺。

　　同桌雅迪批評他，他卻說：「我們是最強大的獅子，誰敢惹我們？為什麼還要去學自衞、自護？」

　　雅迪說：「你沒聽老師說嗎？世上沒有最強大的，只有最危險的！不學會自衞、自護本領，怎麼生存呢？」

　　戈戈才不信呢！

　　這天放學後，小獅子們都在草坪上玩遊戲。不知從哪兒飛來一羣舌蠅，直往小獅子們身上叮。舌蠅是非洲草原的昆蟲，大家都知道他的厲害，紛紛爬到樹上去躲避。戈戈上課睡覺，沒有學會爬樹的本領，結果被叮得滿地亂滾。

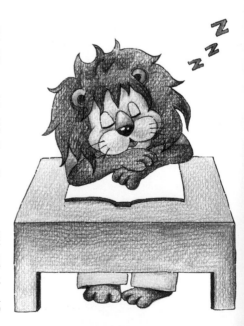

　　雅迪見了，趕緊折一根樹枝，跳下樹去撲打，好容易把舌蠅趕走。這時，戈戈渾身已被叮得血跡斑斑。他後悔極了，要是好好上課，怎麼會受這份罪呢？戈戈

哭泣的鱷魚

和雅迪一起往回走，路上，戈戈突然看見一個長滿尖刺的小不點兒，便好奇地停下來。只見小不點兒一滾，露出了紅肚皮，哇，是個肉團團。戈戈

高興極了，張開嘴剛要咬，卻被雅迪一把攔住：「不能吃！」

戈戈很奇怪：「一塊鮮紅的肉，為什麼不能吃？」

雅迪說：「這是斑毛小刺猬，吃了會要命的！」

「什麼，就這麼個小不點兒，會要我的命？」

雅迪告訴他：「斑毛小刺猬一看見獅子，就會把腹部翻過來，露出紅肉。如果把他吃進肚裏，他就會在獅子肚子裏面滾來滾去，把五臟六腑弄個稀爛，然後從內臟一直吃到胸部。」

戈戈一聽，嚇得趕緊往後退。他不解地問：「你怎麼知道這麼多？」

雅迪歪着腦袋說：「是老師課堂上講的呀。」

戈戈這才知道世上還有能征服獅子的敵人。從此，他上課再也不睡覺了，因為他知道自衞、自護、自救，對生存是多麼重要！

獅子的自述

我生活在非洲、亞洲西部草原上，體型巨大，力大無比，兇狠異常，什麼羚羊、斑馬、水牛、野驢，見了我都得束手就擒。我們都是由雌、雄獅攜帶幼兒過着羣居生活。雄獅個頭大，頸部有長長的鬣毛，是獅羣的首領。

知識小百科

1. 獅子是百獸之王嗎？

　　人們之所以把獅子稱為「百獸之王」，是因為牠捕食時，抖動豎起的鬃毛，像個兇猛無比的勇士。其實，在動物王國裏，真正強大的是大象，如果獅子去襲擊大象，大象就會把牠活活踩死。所以，大象才是真正的「百獸之王」！

2. 獅子怎樣捕食？

　　獅子在接近黃昏時開始捕食，多數情況下，除了留一隻母獅照顧小獅外，其餘全都出去找食。他們埋伏在草叢裏，由一隻母獅突然出擊，其他母獅呈包圍狀全力追趕，使獵物無法逃生。

3. 雄獅子為什麼懶惰成性？

　　一個獅羣約有三十隻獅子，其中只有一隻雄獅。平時，雌獅外出捕食，而雄獅一天有 20 個小時在睡覺和休息，因為雄獅與雌獅有嚴格的分工：雌獅捕食，而雄獅則以自己的威武雄姿負責獅羣的保衞工作。

聰明的「彌勒佛」

黑猩猩是動物世界的「智多星」嗎？

　　大森林裏，住着黑猩猩一家，最小的黑猩猩叫「彌勒佛」。為什麼叫這個名字？因為，他的腦袋大，脖子粗，肩膀寬，肚子圓，像個彌勒佛。

　　彌勒佛很聰明，在學校讀書，年年都考第一，大家都喊他小神童。

　　一天，走來了一隻小猴子，想考考彌勒佛，看他是不是真的那樣聰明。他出了一道題考問彌勒佛：「有一座獨木橋，橋很窄，只能過一隻動物。這天，小猴和大熊迎面走到橋中間，誰都不肯退回去，你說，他們怎樣做才能同時都過去呢？」

　　彌勒佛想了想，大聲說：「小猴子用尾巴勾住獨木橋，頭朝下，讓大熊先過去，然後自己再過去！」

　　好主意！在場的動物都豎起了大拇指，小猴子也信服地直點頭。這下，彌勒佛更出名了，許多人遇到了難事都跑來找他。

　　這天，彌勒佛正在樹上摘果子，一隻小鳥飛來了，大聲說：「彌勒佛，快去看看呀，犀牛家附近發現白蟻了！」

白蟻可是大害蟲，專吃樹木，繁殖起來會把整個森林吃光。彌勒佛二話沒說就跟着小鳥去了。

犀牛家附近果然有無數個白蟻洞，洞口都很小，手根本伸不進去。

大家都說：「讓彌勒佛來捉白蟻，太難為他了。」

誰知，彌勒佛把胖腦袋歪了歪，又把小眼睛眨了眨，然後招了許多禾稈兒，再把禾稈插進每一個白蟻洞裏。

斑馬有些不解：「彌勒佛在做什麼？」

過了一會兒，彌勒佛把禾稈從洞裏抽出來，呀，上面爬滿了白蟻！想不到，聰明的彌勒佛，竟用白蟻吃禾稈的特點將他們一網打盡。

現在，彌勒佛一邊抽動禾稈，一邊坐在那兒津津有味地吃白蟻。這時，他的大肚子挺得更高了，大腦袋變得更圓了，還眯眯笑着呢，哈哈，簡直就是一個彌勒佛！

黑猩猩的自述

我長着黑色的毛，耳朵很大，眼窩深陷，眉弓很高，頭頂毛髮向後。我雖然住在樹上，卻能用略彎曲的下肢在地面行走。我能辨別不同顏色，發出 32 種不同含意的叫聲，還能使用簡單工具，是僅次於人類的最聰慧的動物。

知識小百科

1. 為什麼說黑猩猩是僅次於人類最聰明的動物？

　　黑猩猩的大腦比較發達，經過訓練不但能掌握某些技術、手語，還能使用電腦鍵盤、學習詞彙，其能力超過兩歲兒童。

2. 黑猩猩能為自己治病嗎？

　　黑猩猩如果得了腸胃炎，就去採一種名叫「蜘蛛抱蛋」的植物，摘下它的葉子，像人們捲煙那樣把葉子捲起來，塞進嘴裏津津有味地嚼吃，腸胃很快就不再難受了。

3. 黑猩猩吃什麼？

　　黑猩猩吃水果、樹葉、根莖、花、種子和樹皮，有時還吃昆蟲、鳥蛋或捕捉小羚羊、小狒狒和猴子。雄性黑猩猩獲得的獵物允許羣內成員共享。

會變戲法的雪豹

雪豹是怎樣捕食的？

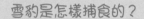

　　一隻雪豹，出生時正碰上漫天飄雪，加上毛兒白底綴着黑斑，媽媽就給他起了「雪雪」這個名字。

　　雪雪可不像名字那樣溫柔。他十分霸道，動不動就欺負弱小的伙伴。一天，有兩隻小雪豹正在吃一隻山羊，他走過去又撞又咬，將他倆趕走，自己坐享其成。因為這，大家叫他「惹不起」，都離他遠遠的。

　　冬天，是雪豹最難熬的季節。雪雪已經幾天沒吃東西了，餓得走路直晃。本來他是白天睡覺，晚上出來尋食，現在不得不改變生活規律，白天也捕食了。

　　雪雪艱難地走着，突然，看見前面 200 米處的雪岩上，正站着一隻小兔。他非常高興，心想：「可不能讓他跑掉。」他在想怎樣把小兔捉住。這時，他想起了媽媽的話：「小兔十分好奇。」他靈機一動，決定給小兔變戲法。

　　正巧，旁邊有一棵小松樹，雪雪折下一根細枝，一邊搖，一邊往前滾，還一邊振振有詞：「我是神奇的魔術師，會變戲法

會魔術，變棵小樹長綠葉，送給小兔填飽肚。」小兔望着綠樹枝，覺得很好玩，站在那兒，兩眼一眨也不眨。

雪雪擎着綠樹枝越滾越近，不知是喜悅、激動，還是擔心，他的心撲通撲通亂跳。當他估計一躍就可以把小兔捉住時，便扔掉了樹枝。小兔一看，拔腿跑掉了。

雪依然在下，紛紛揚揚，把小兔留下的腳印蓋住了，雪雪的半個身子也快被埋上了，他知道再也沒力氣爬起來，只好絕望地閉上眼睛。

就在這時，他覺得有一個香香的東西鑽進嘴裏，睜開眼一看，是兩隻雪豹站在面前，正把一塊肉往他嘴裏塞。

雪雪認出了，這兩隻雪豹正是曾被他奪走食物並趕跑了的伙伴！

雪雪這一次認識到友誼的珍貴。他哭了，是為自己過去的行為難過而哭，也是為伙伴的不計前嫌感動而哭。

這時，雪還在繼續下，潔白的雪花還在紛紛揚揚地飄……

雪豹的自述

我生活在雪線附近，故叫雪豹。我的四肢發達，善攀爬，躍起時可在空中轉彎，捕食能力很強。我全身披有厚厚的絨毛，很耐寒，即使零下二十多度，也能在野外活動。

1. 高山雪豹怎樣捕食？

由於雪豹生活在終年積雪的高山上，只能獵食岩羊、野羊、鹿、斑羚、野兔等。牠們把身體捲縮起來隱藏在岩石之間，當獵物路過時，突然躍起來襲擊。冬天尋不到食物時，牠們就跑到較低山區偷食人類的家畜和家禽。

2. 雪豹為什麼被譽為世界上最美麗的貓科動物？

雪豹全身灰白色，布滿黑斑；背部、體側及四肢外緣形成不規則的黑環，越往體後黑環越大；鬍鬚顏色黑白相間，頸下、胸部、腹部、四肢內側及尾下均為乳白色。這種膚色，十分少見，被譽為世界上最美麗的貓科動物。

3. 豹有幾種？分布在哪裏？

常見的有金錢豹、雲豹、雪豹等。金錢豹身上有古錢似的斑紋，主要生活在亞洲、非洲等地。雲豹分布在熱帶、亞熱帶地區，擅長爬樹，捕食樹上的小鳥、猴子等。雪豹住在中亞高原空曠多岩石的地方。

羚羊媽媽的愛

閱讀提示

羚羊屬於草食弱小動物，牠能自衛嗎？

羚羊露西婭做媽媽啦，高興得咩咩直叫，她給孩子起了個好聽的名字：吉娜。

露西婭可算是模範媽媽：嫩草先給吉娜吃，甜水先給吉娜喝，吉娜走到哪兒她跟到哪兒，生怕吉娜有半點兒閃失。吉娜在媽媽的呵護下一天天長大了，兩隻尖角也從腦袋上伸了出來。按說，長角的羚羊就該獨立生活了，可是露西婭仍把她當成孩子，整天總是嘮嘮叨叨：「走路要看道，千萬別摔着；上山要小心，別讓荊棘扎了腳；吃草要細嚼慢嚥，別噎着；喝水要當心，別嗆着⋯⋯」吉娜不知聽了多少遍，耳朵都快磨起繭了。

吉娜待在家裏太悶了。一天，她趁媽媽不注意，偷偷跑了出去。

雨後的山野，空氣格外清新。吉娜一面跑，一面咩咩地叫，高興得直打滾。

就在吉娜玩得高興的時候，有一匹狼躲在樹後，激動得兩眼閃着綠光。狼不敢冒然出擊，因為吉娜頭上有兩隻尖尖的角，他試着一步步走上前。

吉娜不認識狼，

更不知該怎樣用角去對付狼,因為媽媽從沒對她講過。狼見吉娜嚇得邁不動腿,高興得手舞足蹈:「哈,這是一個膽小而沒有本事的傢伙!」他便大着膽子向吉娜撲去。

露西婭不見了吉娜,急得像屁股着了火,趕忙到外面去找。當她聽到吉娜的哀叫聲時,知道出事了,便急匆匆地跑來。就在這時,那隻狼已經把吉娜撲倒在地,露西婭不顧一切衝了上去,狼見了露西婭頭上兩把「尖刀」,趕緊丟下吉娜,逃跑了。

露西婭抱住吉娜,彷彿抱住一塊失而復得的寶玉,生怕她再丟失。這件事,對羚羊媽媽震動非常大。她自責地說:「我怎麼只知道關心孩子的吃喝,就忘了告訴孩子什麼是狼,什麼是豹,遇見他們該怎樣去用兩隻角呢?」

從此,露西婭再不像以前那樣只知關心孩子的溫飽,她注重更多的是讓孩子學會怎樣去生存!

羚羊的自述

我體型優美,動作輕捷,四肢細長,蹄小而尖,有一對空心而結實的角。我們羚羊生活在曠野或沙漠上,有的還棲息在山區地帶。中國有原羚、瞪羚、藏羚和斑羚等。我的天敵是狸貓、獅子、豺狼。

知識小百科

1. 羚羊是什麼樣子？

　　羚羊和山羊相似，雄雌都有角，毛灰黃色，面部有棕灰色條紋，四肢細長，跑得快，耐乾渴。角白色或黃白色，略呈弓形，下段中空。

2. 羚羊靠什麼自衛？

　　羚羊是草食性弱小動物，遇到兇猛的野獸，只能靠健壯的四肢逃跑，實在逃不掉，就會用頭上兩隻尖角拼鬥，儘管無濟於事，但生存的本能，也會讓牠做最後一搏。

3. 羊為什麼吃紙？

　　羊是食草動物，許多紙張是用植物的莖製造出來的，因此，羊吃紙就沒什麼奇怪的了。

老鼠過河

閱讀提示

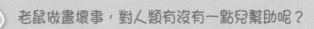

老鼠做盡壞事，對人類有沒有一點兒幫助呢？

老鼠唧唧去看舅舅，舅舅家就住在梭羅河的對岸。誰知到了河邊，卻發現橋不見了，唧唧不會游泳，急得哭了起來。

這時，走來了野牛大叔，問他：「你為什麼哭呀？」

唧唧說：「我要去看舅舅，過不了河。」

野牛大叔說：「別哭，你就趴在我身上，我背你過去。」

唧唧很感謝野牛大叔的好心，但一看見他那又光又平的背，便擔心會被掉到河裏，就拒絕了。

不久，從河裏鑽出一條鱷魚，問唧唧：「需要我幫忙嗎？」

唧唧望着他的大嘴巴，還有兩排尖尖的牙齒，趕緊搖搖頭。

太陽西斜了，站在岸邊的唧唧，急得團團轉。他恨自己膽子太小，錯過了過河的機會，如果再有誰肯幫忙，他絕不會再放過機會。可是，再沒有一隻動物走來，只有幾頭吃飽喝足的大象，躺在河邊睡大覺。

忽然，他看到了象鼻子，靈機一動：「我可以讓大象把我送過河呀！」於是，他拖着長尾巴，向大

象跑去。

「醒醒，大象爺爺！」不知是他聲音太小，還是大象睡得太沉，大象仍在打呼嚕。

唧唧只好爬上大象豎起的鼻子，鑽進了鼻孔，在裏面又跑又跳，想把大象弄醒，可是大象沒有半點反應，他只好用牙齒去咬。誰知一下就把大象癢醒了。只聽「乞嚏！」大象一個噴嚏，就把唧唧噴了出去。

唧唧像出膛的炮彈，一直飛到對岸。落下時，他把四腿一捲，就地一滾，半點也沒受傷。唧唧很想對大象說一聲謝謝，可大象又呼嚕呼嚕地睡着了。

唧唧多開心呀，他不僅想出這麼好的主意過了河，還第一次坐上「火箭炮」呢！

老鼠的自述

人類諺語裏有一句「老鼠過街，人人喊打」，足見人們對我的仇恨。說句公道話，人類恨我不是沒有道理，因為我糟蹋糧食，啃咬衣物、箱櫃，破壞電纜，傳播鼠疫，做盡了壞事。現在，人們利用我鼻子靈的特點，來檢測疾病，尋找地雷，我總算對人類有點作用了。

1. 為什麼說老鼠的繁殖力十分驚人？

一對老鼠一年能繁殖 5000 多隻幼鼠。雌雄老鼠交配後，雌鼠懷孕 21 天就可以產下幼鼠，而雄性小老鼠 30 天後就進入成年，小雌鼠 40 天就可做媽媽，生下幼鼠後的 6-10 天就可以懷下一胎。這樣地繁衍後代，老鼠數量能不增加嗎？幸虧老鼠壽命只有兩年，要不，這世界早就鼠滿為患了。

2. 老鼠的門牙為什麼能不斷生長？

一般動物每個牙齒中間都有齒髓腔。年幼時，齒髓腔是開放的，牙齒長成後，齒髓腔就封閉起來，牙不再生長。老鼠和兔子等嚙齒類動物的齒髓腔卻不封閉，因此門齒能終生生長。所以，老鼠不得不去咬嚙那些硬的東西，借以磨牙。

3. 人們怎樣利用老鼠鼻子靈的特點，來檢測疾病、尋找地雷？

在非洲，每年大約有 150 萬人死於肺結核，為了對患者確診，訓練人員將盛有病菌唾液的器皿讓經過訓練的老鼠去嗅，老鼠如果趴在器皿前不動，就說明嗅出了肺結核病菌的氣味。檢測的準確率達 92%。

不少地區戰爭時埋下許多地雷，人工排雷既緩慢又有危險，人們便利用老鼠鼻子靈的特點進行尋找。在 100 平方米的區域裏，人工探雷需要一人兩天的時間，而老鼠只用半個小時，就能嗅到所有地雷的埋藏點。

河馬布魯特

河馬是不是屬於河裏的動物？

月光灑在了珍珠湖上，湖水漾出細細的波紋。小河馬布魯特待在水裏，望着天空，一顆一顆地數星星。數着，數着，突然他覺得有一股冷水湧來，定睛一看，發現一隻鱷魚正張着大嘴朝他撲來。

鱷魚雖然是有名的河霸，但要吃掉河馬卻不容易。他見布魯特發現了自己，趕緊把嘴巴閉上，裝出一副笑臉說：「河馬，對不起，打擾你了。你休息吧，我到別處去玩。」他心想等你再躺下時，看我怎樣收拾你。

布魯特看出了鱷魚的用意，忙說：「不，我已經休息好了，正想活動活動！」

「我也想活動活動，不如我倆一起做遊戲吧！」

「好呀，你說做什麼遊戲？」布魯特這時在想怎樣脫身。

鱷魚說：「就做撞撞遊戲吧！」

布魯特明白，鱷魚想用撞撞遊戲來接近他，好對他下手。他搖搖頭說：「不好，不好，我比你大，比你胖，你怎能撞過我？不如在水下玩捉迷藏吧！」

鱷魚一聽非常高興，因為潛水是他的專長，在水下，更容易把布魯特置於死地。

「我先藏，不過

你得離我 20 米遠。」布魯特提出了要求。

鱷魚一口答應了，往後退了 20 米。在他看來，不管退多遠，要布魯特的命都是易如反掌的事。他哪裏想到，生活在陸地的布魯特竟也是個潛水能手。

這時，布魯特把鼻孔、眼睛、耳朵上方的「防水蓋子」關上，這樣一滴水也進不去了，然後，往水裏一鑽，不見了。

鱷魚立刻游了過去，想從水下把布魯特咬死，或者從上面按住把他悶死。誰知，鱷魚在水下怎麼也找不到布魯特。等他浮出水面時，卻聽見布魯特在岸上大喊：「鱷魚，我在這裏！」

這下可把鱷魚氣壞了，他說：「你作弊！」

布魯特卻說：「對你這個害人的壞傢伙，我不用點計謀，不是要吃虧嗎？」

鱷魚氣得兩眼往外直鼓，而布魯特的嘴巴卻笑得更方更大了。

河馬的自述

我像馬，大部分時間待在水裏，所以叫河馬。我的眼睛又大又圓，往外鼓；嘴巴又方又大，簡直像個醜八怪。別看我整天待在水裏，陸地才是我真正的家，一到傍晚，我就來到岸上吃草，吃穀類和其他農作物。

知識小百科

1. 河馬為什麼總待在水裏？

河馬身體有三四千公斤重。水中有浮力，可以減輕牠那龐大身體對腿的壓力，同時，水還能保護牠的皮膚。河馬沒有任何「武器」，在水裏可以躲避岸上動物的攻擊。

2. 河馬為什麼能夠潛水？

河馬的鼻孔、眼睛和耳朵生有一種專門防止水流進去的「蓋子」，當潛泳時，「防水蓋子」就會把鼻孔、眼睛、耳朵嚴密地蓋起來，不讓一滴水流進去。

3. 河馬有什麼習性？

河馬身上沒有一根毛，也沒有汗腺，靠分泌出的紅色黏性液體，來保護皮膚不乾裂。河馬走路時，邊走邊排大小便，還用尾巴把糞便掃向四周，有時會把糞便當作暗器掃向對方。雌河馬和牠的孩子一起生活，通常待在河中間凸起的淺灘上，如果小河馬不聽話，河馬媽媽就用頭撞牠。在動物世界裏，像這樣有意識的教育是罕見的。

新來的居民

閱讀提示

駱駝為什麼能在沙漠生存呢？

百獸園裏新來了一位居民，大家都跑去看望他。

小兔指着他的後背，悄聲說：「他怎麼把兩座山也背來了？」

小狐狸自作聰明地說：「怎麼會是山呢？是兩個大錢袋呀，那裏一定裝着許多好東西。」

長頸鹿瞪了他倆一眼：「瞎說什麼！」他轉過身笑着問：「這位大哥，怎麼稱呼你？」

「我叫駱駝，是從沙漠來的。」

小兔好奇地問：「沙漠是不是有樹，有草，有山呀？」他心想，要是沒有山，他怎麼會把山背來呢。

駱駝搖搖頭：「沙漠裏沒有水，也沒有樹、草和山，那裏除了沙子還是沙子。」

「沒有水，沒有草，那你吃什麼？」小狐狸才不信呢！

駱駝沒有回答，只是望着遠處，好像有什麼心事。長頸鹿見狀，忙說：「駱駝大哥剛來，讓他先休息吧。」

第二天，小兔和小狐狸焦急地跑來找長頸鹿：「駱

駝一天沒吃東西沒喝水，快去看看吧！」

原來，兩個小傢伙對駱駝很好奇，一直在注意他的一舉一動。

長頸鹿急忙跑去看望駱駝，關心地問：「你是不是在這裏不習慣呀？」

駱駝說：「這裏很好，只是我很想念我的伙伴。」

長頸鹿勸慰他說：「想念自己的伙伴，是人之常情，可不能不吃不喝呀！那樣會生病的。」

駱駝笑了，他說：「沙漠裏沒有水，沒有草，我過去經常好幾天不吃不喝。」

「那怎麼受得了呢？」長頸鹿擔心地說。

「我有駝峯呀！」他指指身上像山一樣的駝峯說，「這裏儲滿了脂肪，沒東西吃的時候，它可以提供身體所需的營養。我的胃有很多瓶狀的小囊，裏面貯存着許多水，靠它可以幾天不喝水。」

原來是這樣呀！

小兔和小狐狸聽得直眨眼睛，頑皮地說：「你怎麼不早說，害得我倆都很擔心呢。」

駱駝不好意思地說：「對不起，謝謝大家對我的關心！」

幾天後，這位新來的駱駝便和大家融洽地生活在一起，百獸園裏因來了駱駝，也格外熱鬧起來。

駱駝的自述

我在沙漠中行走，可以幾天不吃不喝東西，被稱為「沙漠之舟」。我很溫順，也很膽小，但如果我生氣了，就什麼也不怕，可以把馬咬得血肉模糊。

知識小百科

1. 駱駝為什麼能在沙漠裏長途跋涉？

　　駱駝的胃有很多瓶狀的小囊來貯存水，即使幾天不喝水照樣能夠活。駱駝的駝峯貯存大量脂肪，在沒東西吃的時候，可以提供身體所需的營養。駱駝的皮毛極厚，能防止強烈的日曬；耳朵裏有毛，能防止沙子吹進裏面；鼻孔可以隨意開關，使沙子進不去；眼睛有兩層睫毛和三層眼皮，能擋住灰塵；腳底有又厚又軟的肉墊，不容易陷入沙中，另外它還可以調節體溫。

2. 駱駝有幾種？

　　駱駝有兩種，雙峯駝和單峯駝。雙峯駝主要生活在中亞，是世界稀有動物之一。單峯駝現在已經沒有野生種，在阿拉伯、非洲沙漠地帶，被廣泛飼養。

3. 駱駝為什麼不怕渴？

　　駱駝除了胃貯存水外，牠還有防止水分散失的特殊本領。當體內缺水時，鼻子的管道就停止分泌，而且還有一層硬皮護着，這樣體內呼出的水分就不會丟失，在體內循環利用，所以牠不怕渴。

見義勇為的小豪豬

 閱讀提示

小小的豪豬會怎樣對付敵人？

小豪豬很仗義，好打抱不平。

一天，他去參加外婆的生日，在路過一片森林時，看見小猴子正在抹眼淚，便上前問道：「怎麼了？誰欺負你了？」

小猴哭着說：「我從樹上採下的果子，全被大熊搶去了。」

小豪豬看見大熊正坐在樹下吃果子，身邊丟下許多果核。他走過去，很客氣地說：「小猴子好不容易採下的果子，你不該隨便搶吃。」

大熊看了看小豪豬，嘴巴一撇：「你看見我搶啦？這是我撿的。」

小豪豬見大熊這樣不講理，十分生氣。他一生氣，身上的硬刺就豎起來，不停地顫動，發出喳喳聲。大熊從沒見過這陣勢，不知道小豪豬在做什麼，嚇得撒腿就跑。小豪豬望着大熊的狼狽相，十分好笑，輕蔑地說：「欺軟怕硬的傢伙。」

小豪豬趕跑了大熊，他對小猴子說：「好了，別哭了，快把剩下的果子搬回家

吧。」小猴很感謝小豪豬的見義勇為，不停地給牠敬禮。

　　小豪豬繼續往前走。今天，他的心情特別好，這不僅因為他幫小猴討回屬於自己的果子，還因為他很快就要見到外婆了。小豪豬情不自禁唱起了歌謠。

　　就在這時，他突然聽見「救命」聲，抬頭一看，見山豹正在追捕一隻羚羊。小豪豬知道，山豹這傢伙很兇，誰也惹不起，可是如果不去救，羚羊會沒命的。小豪豬顧不了許多，一個箭步跳過去。

　　山豹沒想到半路會殺出小豪豬，氣得大叫一聲，朝他撲了過去。山豹並不知道小豪豬的厲害，恨不得一口把他吞下去。誰知，小豪豬一下把硬刺豎起，箭一般地向山豹衝去。山豹怕豪豬的硬刺，只得逃走。

　　小豪豬繼續向外婆家走去，他那悅耳的歌謠，又在山野飄起：「我是一隻小豪豬，身上棘刺一簇簇，路上碰見不平事，敢問敢管不含糊……」

豪豬的自述

我分布在中國長江流域和西南各省。別看個子不大，誰也不敢欺負我，因為我身上披着箭一樣的硬刺。誰要侵犯我，我就把尖刺豎起來，互相摩擦發出聲音進行警告，如果牠還不理睬，就用尖刺扎牠。

1. 豪豬為什麼又叫箭豬？

豪豬長着箭一樣的棘刺，最長約達半米。每根棘刺的顏色都是黑白相間，很鮮明。所以，人們又叫牠箭豬。

2. 為什麼說豪豬是有害動物？

豪豬白天藏在山坡、草地、密林的洞穴中，夜裏出來找食。牠專吃瓜果、玉米、花生、菠蘿等農作物，所以牠是害獸。為害嚴重時，一頭豪豬一夜能糟蹋上百公斤農作物。

3. 豪豬怎樣和猛獸搏鬥？

豪豬在與猛獸搏鬥時，能迅速將身上的棘刺直豎起來，發出刷刷聲，嘴裏也發出噗噗的叫聲。如果敵人不聽警告，繼續向豪豬進攻，豪豬就會調轉屁股，倒退着向敵人衝去。用短而粗的刺去刺敵人面部。牠身上長着帶鈎的刺，敵人如果被刺中，棘刺就會留在肌肉裏，疼痛難忍。狼、狐狸和大山貓等碰上豪豬，都不敢輕易去惹牠。

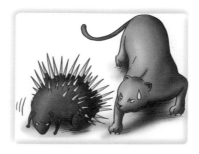

咪咪的心事

閱讀提示

小貓咪咪為什麼夜夜走出家門？

這幾天，小貓咪咪坐在那兒一動不動，兩眼直發呆。

這孩子怎麼了？是不是有病了？媽媽想到他晚上捉鼠的機靈勁，又不像是有病。

「會不會有什麼心事呢？」當媽媽問他時，他卻連連搖頭：「沒，沒，我沒有心事！」從他說話吞吞吐吐的樣子，媽媽似乎覺察出什麼，於是暗地裏注意他。

一個有月光的晚上，咪咪捉住一隻老鼠後，並沒有吃掉，他叼着老鼠離開了家，蹭地跳到牆上。咪咪是爬樹、翻牆的高手，他的尾巴能幫助身體掌握平衡，腳底長着又厚又有彈性的肉墊，可以減輕震動，靠着這些，他很安全地跳到牆外。

媽媽很奇怪：「這孩子叼着老鼠去哪裏呢？」她便悄悄地跟在後面。

小貓咪咪來到一個草垛旁，低聲叫着：「喵喵大叔，你睡了嗎？我給你送飯來了。」

「什麼，喵喵大叔在這兒？」貓媽媽十分吃驚。

原來，這個喵喵大叔

是隻流浪貓，十幾天前，貓媽媽曾捉住一隻老鼠，被喵喵大叔搶了，氣得她大罵喵喵大叔是個強盜貓。後來，他不見了，想不到會在這兒，更想不到咪咪會給他送吃的。

「喵喵大叔，這是我剛捉到的老鼠，快吃吧。」

「孩子，難得你這片好心。自從我的腿受傷後，多虧你幫我療傷，給我送吃的，大叔真不知怎樣謝你才好。」

「為什麼要說謝，誰沒有困難的時候？大家就應該互相幫助嘛。」

「可是，我曾搶過你媽媽捕的老鼠，一想到這事，我就後悔極了。」

「快別這樣說，你也是為救一隻餓壞的小流浪貓，才這樣做的。來，讓我給你舔舔傷口吧！」

站在草垛外偷聽的媽媽，一下全明白了。她責備自己冤枉了喵喵大叔，更為小貓咪咪的愛心高興。她想走進草垛，但最終她悄悄地離開了。

貓的自述

我的爪下有軟軟的肉墊，走起路來，老鼠聽不到響聲，藏在趾端的鋒利趾甲能夠伸出、縮進，一旦捉到老鼠，利爪會緊抓不放。還有，我那雙能隨光線強弱變化的眼睛，一到夜裏就變得雪亮雪亮，老鼠休想逃跑。

知識小百科

1. 貓為什麼能在夜間看東西？

　　貓的眼睛瞳孔大，收縮能力強，能隨光線的強弱而變化：中午光線強，瞳孔可以縮成一條線；夜晚光線弱，瞳孔就變大，能看清東西，捕捉老鼠。

2. 貓從高處跳下為什麼不會摔傷？

　　貓的身體很靈敏，從高處跳下，眼睛能很快看清地面，四條腿也做好了落地準備，尾巴能幫助身體掌握平衡，加上腳底長着又厚又有彈性的肉墊減輕震動。這樣，貓就不會受傷。

3. 貓的鬍子有什麼用？

　　貓的鬍子是極為重要的觸覺器官。貓在捉老鼠時常常要鑽洞，貓的鬍子長短與身體比例是一致的。當老鼠鑽進洞裏時，牠就用鬍子去探，鬍子碰到洞邊，就知道洞小，身子進不去；鬍子碰不到洞邊，就知道身子能鑽進洞裏。所以，鬍子也是貓的一把尺。

神探大象

閱讀提示

鬣狗的糞便為什麼會硬得像石頭？

狐狸太太一進家，就發現牆上掛的肉不見了，趕緊報了警。

一會兒，大象警官來了。他先勘查了一下現場，發現地上有模糊的血跡，旁邊還有一堆糞便。

這時，鬣狗向他報告一件重要事情：「兩小時前，山豹曾鬼鬼祟祟地在狐狸太太門前轉來轉去，現在，他家樹上還掛着一塊肉。」

大象警官聽後，立刻傳訊了山豹。

山豹說：「沒錯，我是在狐狸太太門前轉過，難道散步也不許嗎？」

大象警官把山豹掛在樹上的肉拿來，讓狐狸太太辨認。狐狸太太說：「這不是我的，我的肉很新鮮，裏面有骨頭。」

大象點點頭，對大家說：「案子已經破了，偷肉人就在我們當中，希望他主動站出來。」

大家你看看我，我看看你，誰也不說話。

「到底是誰偷的？」大家都想知道答案。

大象警官沒有回答，卻反問大家：「你們想想，誰有這樣的本事，能把肉骨頭吃進肚裏？」

小兔不解地問：「怎麼就能斷定肉是在這裏吃掉，不會

是偷走的呢？」

大象警官說：「你問得好。地上留下的模糊血跡，證明肉是在現場被吃掉的。」

「如果不小心把肉弄到地上，不是同樣可以留下血跡嗎？」斑馬提出質疑。

「是有這種可能，但偏偏罪犯給我們留下另一個重要證據——糞便。」大象警官說，「你們看，這像石灰塊的糞便會是誰留下的呢？」

鬣狗心虛地問：「誰留下的？」

大象警官大聲說：「就是你！」

大家全愣住了。

鬣狗跳起來大聲嚷道：「你憑什麼說是我？」

大象警官一字一句地說：「動物中，只有你的牙齒最厲害，可以把骨頭咬碎吞進肚裏，也只有你消化能力十分強，拉出的糞便像石灰塊。你想嫁禍給山豹，恰恰暴露了你自己！」

鬣狗不說話了，耷拉着腦袋說：「是我偷的肉！」

哇，想不到罪犯會是鬣狗，更想不到大象警官這麼快就破了案，狐狸太太激動地說：「神探！簡直是神探！」

從此，神探大象便被叫開了。

鬣狗的自述

我生活在熱帶、亞熱帶的草原或丘陵地區。我的頭比狗的頭短而且圓，額部較寬，尾巴很短。我的前腿長後腿短，像兔子。身上的毛呈棕黃色或棕褐色，上面有許多不規則的黑褐色斑點。你問我吃什麼？告訴你吧，什麼新鮮肉、臭肉，只要是肉我都吃。

知識小百科

1. 鬣狗為什麼被稱為「大草原的清道夫」？

鬣狗對於留在大草原上的動物屍體絕不嫌棄，照吃不誤。因此，每當聽到虎叫獅吼鷹鳴時，牠們便趕緊聚集在一起，向叫聲跑去，以便撿吃虎、豹、獅、鷹吃剩的殘物。這樣，大草原留下的腐肉便被吃得一乾二淨，故有「大草原的清道夫」的稱號。

2. 鬣狗最愛吃的是什麼？

鬣狗牙齒很有力量，能夠咬碎骨頭，牠最愛吃的是骨頭裏的骨髓。

3. 鬣狗是犬類嗎？

鬣狗科的外形雖然像犬，但牠不是犬類。牠的親緣關係和狸貓非常接近。

讓孩子大開眼界的知識童話・動物篇
哭泣的鱷魚

作　　者：滕毓旭
繪　　畫：夏兮 / 南寧九金娃娃動漫有限公司 / 春雨彩虹插畫 / 楊豔
責任編輯：潘宏飛
設計製作：新雅製作部
出　　版：新雅文化事業有限公司
　　　　　香港英皇道499號北角工業大廈18樓
　　　　　電話：(852) 2138 7998
　　　　　傳真：(852) 2597 4003
　　　　　網址：http://www.sunya.com.hk
　　　　　電郵：marketing@sunya.com.hk
發　　行：香港聯合書刊物流有限公司
　　　　　香港新界大埔汀麗路36號中華商務印刷大廈3字樓
　　　　　電話：(852) 2150 2100　　傳真：(852) 2407 3062
　　　　　電郵：info@suplogistics.com.hk
印　　刷：中華商務彩色印刷有限公司
　　　　　香港新界大埔汀麗路36號
版　　次：二〇一三年四月初版
　　　　　10 9 8 7 6 5 4 3 2 1

ISBN: 978-962-08-5805-5
© 2013 Sun Ya Publications (HK) Ltd.
18/F, North Point Industrial Building, 499 King's Road, Hong Kong.
Published and printed in Hong Kong